小川幸司
Koji Ogawa

世界史とは何か

――「歴史実践」のために

シリーズ　歴史総合を学ぶ③

岩波新書
1919

はじめに

二〇二二年度から全国の高校で新科目「歴史総合」が始まりました。本書は、「歴史総合」をはじめとする歴史系の科目が深い学びになることを願って、「世界史とは何か」というテーマを考えます。読者として想定しているのは、高校教員だけでなく、歴史教育に関心をもってくださる一般市民の皆さん、教育に携わる皆さん、何より高校生・大学生の皆さんです。

現代日本では、国も都道府県教育委員会も、「変化の激しい予測困難な時代」の今は、これまでの教育のあり方が抜本的に変革されるべきだとして、パイロット校を次々作り、その実践例をもとに学校の教室に大改革を求めています。教育行政のことばが、パイロット校の成果を身にまとって、ノルマの指示であるかのように降ってくるのです。

私は、それにどうしてもなじめません。教室の学びとはこれまでに人類が蓄積してきた学問の宝庫を見つめつつ、人々の未来の幸せのために、それをどう活用していくかを探究するいとなみだと考えるからです。世界史はつねに「変化の激しい予測困難な時代」の連続であり、あえて現代を定義するならば、「人類が地球社会を未来に存続させることがより困難になっている時代」であるという現実のほうを見つめるべきだと思います。予測が困難なのではなく、生き続けていくことが困難なのです。私は、蓄積された学問を創造的に探究して、未来の困難に向かってどう生きるかを考えるような、新しい教育実践の挑戦を積み上げていきたいと思っています。

ゆえに本書を五つの講義から構成しました。まず、「世界史とは何か」について、私の教育実践のなかから生徒と一緒に考えたことを振り返ります(第1講)。そしてそのことを「歴史総合」の授業を充実させるための作戦(方法)という形で再定義していきます(第2講)。そして「歴史総合」が対象とする一八世紀以降の近現代史について、授業プランの一例を構想します(第3〜5講)。「近代化」の局面については人種主義の歴史、「国際秩序の変化や大衆化」の局面については不戦条約の歴史、「グローバル化」の局面については強制追放の歴史です。いずれも学習指導要領にうたわれている内容とはかなり異なる変化球を投げながら、一貫して「国民国家とは何か」を掘り下げていくようにしています。積み上げたことばによって、降ってくることばを相対化するのです。そして最後に「まとめ」として「世界史の学び方一〇のテーゼ」をおき、「おわりに」で結論を述べていきます。

なお、「歴史総合」については、すでに研究者・教育者双方からたくさんの書物が出版されています。特に教育者からは、いわゆる授業書という形のモデルプランが数多く提示されています。本書の授業プランは、私のこれまでの実践と今後やってみたい構想を総合させたもので、一回の授業とか単元を示しているわけではなく、何回かの授業にまたがっている内容を一つの歴史叙述にして提示したものです。「そのときの生徒の様子はどうだったのか」ということを教育者からは決まって質問されるのですが、本書は、授業実践報告ではないので意図的に書いていません。「歴史総合」を素材にしながら「世界史とは何か」を読者の皆さんと一緒に考える試みであると受けとめていただければ幸いです。

最初に正直に申し上げておきたいことがあります。私は、高校の校長をつとめながら本書を執筆してきました。校長として生徒たちに直接、講話・講義・対話を重ねる実践をしてきましたが、それでも現在、授業をしているわけではないので、執筆者としての適格性が問われても仕方ありません。しかし、歴史学が最も大切にしている、「事実(ファクト)は実際どうだったのか」ということを、毎日のように切実に考えてきたのが、校長としての日々でした。現代日本ではどこの学校でもそうですが、生徒が人間関係の不安や息苦しさを訴えてきたときに、それがいじめに該当していないかどうか、ファクトを私たちはとても慎重に調査しています。私や教職員に対する厳しい抗議についても同様です。しばしば「~の事実があった」という訴えは、主体の強い思いや感情によってことばが使われますから、本当にその「ことば(記号表現・シニフィアン)」の「意味していること(記号内容・シニフィエ)」がファクトと一致するものなのかを詳細に調査し、関係者で対話しながら、学校経営は進んでいきます。こうしたファクトをめぐる綱渡りは、「世界史とは何か」を探究する自分を磨くことになっていると考えています。

そして、本書の刊行を節目にして、私は、（前例のないことだと言われましたが）希望降任制度を使って教諭に降任することを願い出て、四月から教壇に復帰することにしました。校長のリーダーシップが大切だとしても、それは実際に学校を動かす「生徒と先生」の背中をそっと押すだけにすぎません。残りの人生は「授業実践者」として教育を下から積み上げていくことを決意しています。ゆえに、私は、文部科学省の「歴史総合」設計に協力した者というよりも、歴史実践者・授業実践者の立場から、本書を皆さんにお届けします。

最後に、これまで私の授業や講話に参加してくださった生徒の皆さん、本シリーズのタッグを組んでくださった成田龍一さん、「問う私の会」という定期的な対話で多くの着想をくださる井野瀬久美恵さん、高澤紀恵さん、平野千果子さん、ここでも成田さん、そして良き編集者兼対話者である岩波書店の島村典行さんに、心から感謝申し上げます。

二〇二三年三月一一日　　東日本大震災から一二年目に

小川幸司

目　次

第1講
私たちの誰もが世界史を実践している

1　どうしても世界史を学びたかった経験

松本サリン事件と捏造される「事実」

一九九四年六月二七日、蒸し暑くほとんど風のない夜でした。松本城の北東に位置しており、狭い一方通行の小路が入り組んでいる住宅地は、いつもの静かな闇に包まれていました。二二時頃、この一角にある長野地方裁判所松本支部の宿舎近くの駐車場に、二トントラックの改造車とワゴン車が姿を現します。車内の男たちは、山梨県の本部を出発してから松本に向かう道中、テレビのアニメ番組「魔法使いサリー」の主題歌を合唱していました。女の子が「不思議な力」で「夢と希望」を町にふりまくという歌詞でした。彼らのなかでは、「魔法使いサリー」が、毒ガス「サリン」の隠語だったからです。車からおりたオウム真理教の幹部たち八名は、改造車に載せた加熱式噴霧器と送風扇で大量のサリンを散布しました。彼らは教団松本支部の立ち退きを求める裁判に危機感を抱き、裁判官の殺害を企てていました。しかも当初の予定では裁判所に散布する予定でしたが、実行犯の現場指揮者・村井秀夫が寝坊をして出発時間が遅れたため、新実智光の発案で散布場所を裁判所官舎に変更したのでした。サリンは官舎を越えて付近一帯に広がり、八名の死者と約六〇〇人の重軽傷者を出す惨事となりました。

サリン(Sarin)は第二次世界大戦を前にナチス・ドイツが開発した、殺傷力のきわめて高い神経ガスで、その名称は開発した四名の名前(Schrader, Ambros, Ritter, Linde)を記念して頭文字をつなげています。ナチスは連合軍の報復を恐れて実戦では使いませんでしたが、戦後、アメリカやソ連でも開発され、二〇一七年にはシリアの内戦においてアサド政権が繰り返しサリンを使用して民間人を殺害したと、国連と化学兵器禁止機関(OPCW)の調査が結論づけています。二〇二二年二月から開始されたロシアのウクライナ侵攻でもロシア軍によってサリンが使用されるおそれ(あるいは使用された可能性)があると繰り返し報道されてきました。

この大量殺人は、のちに人々から松本サリン事件と呼ばれます。しかし当初は、サリンが原因であることも、実行犯がオウム真理教幹部であることも不明でした。警察とマスコミは、駐車場に隣接する屋敷に住む会社員・河野義行さんが、薬品の調合を誤って毒ガスを発生させてしまったと考えました。事件の二日後の六月二九日の『信濃毎日新聞』夕刊には、「第一通報者の会社員」が事件発生直後、娘に対して「大きいことになるので覚悟しておけ」と語り、事件への直接関与をほのめかしたことが報道されました。マスコミ各社の報道は過熱の一途をたどります。妻が意識不明の重篤な状態に陥っており、自身と三人の子どもたちにも中毒症状が出ているにもかかわらず、河野さんと子どもたちは、警察による執拗な取り調べを受け、日本全国からの誹謗中傷にさらされました。

河野義行さんが一切、言った覚えのない「大きいことになるので覚悟しておけ」という発言は、六月三〇日の『毎日新聞』朝刊地方版では、「家宅捜索を受けた男性会社員」が薬品の調合を「間違えた」と話していると、さらに具体的な状況をイメージさせる形で報道されました。河野さんの薬品調合を間違えたという発言の「事実」を、警察は河野さんの取り調べの過程で繰り返し突き付けていくことになります。河野さんが救急搬送されたときに自分で言ったことばとしてはっきり覚えているのは、「白い靄《もや》のようなものが見えたと、処置室で誰かが話しているのを聞いた」と「目に白い靄がかかっているように見える」の二つでした（河野 二〇〇一：一五五頁）。しかし日本社会は、「大きいことになるので覚悟しておけ」と「薬品の調合を間違えた」ということば（おそらく警察がマスコミにリークしたことば）を「事実」として、この事件を解釈していったのです。

翌一九九五年元日付の『読売新聞』が、山梨県上九一色村（現・富士河口湖町）のオウム真理教施設の付近の土壌からサリンの残留物が検出されたことをスクープしました。教祖・麻原彰晃は建設途中であったサリン製造工場の解体を命じる一方、警察の教団への強制捜査をやめさせるために、三月二〇日の朝のラッシュ時に東京都心の五つの地下鉄でサリンを発生させ、乗客・乗務員・駅員・救助にあたった市民などから一三名の死者と六〇〇〇名以上の重軽傷者を出す地下鉄サリン事件をひきおこしました。事件から二日後の三月二二日、警察は教団への強制捜査を始め、事件に関わった実行犯らを逮捕します。それは同時に、日本社会が、松本サリン事件の被害者である河野義行さんに対して、実際には存在しなかった「事実」を根拠にして歴史を解釈していた過ちをようやく自覚した瞬間にもなりました。そのような史上空前のテロ事件の動揺が日本社会に渦巻くなか、教員七年目の私は、松本サリン事件の現場からわずか一キロほどの場所にある、長野県松本深志高校に転勤し、世界史を教えることになりました。

松本サリン事件の日々のなかのベンヤミン

一九三三年に東大の安田講堂をモチーフにして建築された、国登録有形文化財の校舎をもつのが松本深志高校でした。ここで世界史の授業を担当することになった私は、二つの学びを意識的に目指しました。一つは、「事実」がどのように「事実」と見なされてきたのかについて考える世界史の授業をしてみることでした。わずか一〇カ月前に、新聞やテレビの流すニュースの「事実」を無批判に信じ込んで、無実の一市民を心のなかで罵った自分に対する深い悔恨がそこにはありました。高校の世界史の授業というものは、教科書に書かれている内容を無批判に丸暗記していく学びになりがちです。そうではなく、教科書に書かれている歴史叙述を別の歴史研究の成果から多面的に見直したとき、その事実がどのように違って見えてくるかということを毎時間の授業のなかで繰り返し考えたのです。そして定期考査では、それに対して生徒が何を考えたのかをレポートの形で書いてもらいました。目の前の事実を批判的吟味なしに丸ごと鵜呑みにしてはいけないのだということにこだわりました。

二つ目は、生徒と教員が対等の立場で自由に世界史を探究する自主ゼミナールを運営することでした。私が赴任する数年前から松本深志高校には「図書館ゼミナール」という図書委員会を中心とした自主ゼミ活動があり、私がその担当になったのです。それまでの図書館ゼミは、学校職員のなかで専門の研究をしている者がその成果を講演する形で学習会を開催してきました。それに対して私は「ゼミナール二十一世紀への世界史」と称して、「今、ここで」世界史を学ぶ意味を、授業以上に問い直すような自主サークルの活動を生徒に呼びかけました。探究テーマを定めて、自分たち以外の仲間たちにも参加を誘うような学習会を企画してみることが、世界史ゼミのスタイルでした。一、二年生の「論客」たちがゼミメンバーに集まってきました。

実は、こうした複数の図書館ゼミをまとめていた生徒が、河野さんでした。この間、一家でサリンの深刻な被害を受けながら、冤罪《えんざい》に苦しんできた河野義行さんの長女です。いまだ警察が冤罪を認めていないなか、そして母親が事件以来ずっと意識不明であるなか、河野さんは背筋を伸ばして毎日登校し、図書館で好きな本のことを語り合っていました。彼女の姿を思い出すたびに、私は今でも胸がいっぱいになります。松本深志高校も含めた、河野家の三人の子どもが通う三つの学校では、事件直後から「まだなにもはっきりしていないのだから三人にはいつもと同じように接するようにしよう」という方針に徹していました。松本深志高校の薬品庫も警察の捜索対象になっていましたから、「いつもと同じように」とは、心してそうした姿勢を創ることでようやく実現するものでした。私もまた、河野さんと「いつもと同じように」文学や歴史の面白さを語り合いました。数年経って河野さんから、「あの頃、子どもたちが学校に行くと「普通に」過ごせたということがどれほどありがたかったか」と言われ、そのとき初めて「いつもと同じように」過ごした相手がどう思っていたかを知ることができたのでした。

六月になって、ようやく捜査当局が、「松本サリン事件はオウム真理教による犯行である」と断定します。その頃から私やゼミの生徒たちの心の中には、「なぜ人間は大量殺人をなしうるのか」とか「不条理にも理由なく殺害された人々の生きる意味とは何だったのか」といった問いが湧き上がってきました。河野さんの無実が証明されたことに安堵するとともに、マスコミの報道を鵜呑みにして河野さんを疑った自分自身のことをもっと問題にするべきだと思われました。生徒たちは複数回にわたる討論会を開催しました。隣にいる河野さんには「いつもと同じように」つきあい、世界には、「目の前で起きていることを歴史と比較しながら徹底的に対象化する」ように対峙したのでした。夏が終わる頃、生徒たちと私は、ナチス・ドイツによるユダヤ人虐殺の歴史を対象にして、人間と大量殺人に関する問いを考えることを始めました。同じ一九九五年、日仏学院でクロード・ランズマン監督(Claude Lanzmann 一九二五―二〇一八)がユダヤ人虐殺の生存者たちにインタビューして完成させた九時間二七分の大長編映画『SHOAH ショア』(一九八五)が上映されて衝撃を与えていました。生徒と私は、松本サリン事件の現実のなかで生きている「今、ここで」、『ショア』の上映会を行うことにしました。――過去が認識可能になる瞬間があるとすれば、それは「今、ここで」なのかもしれない。「今、ここで」を逃したら、過去はまた長い忘却の彼方に沈んでいくだろう。――いつのまにかベンヤミンの言葉が、私を動かしていました。

西洋史学科でドイツ史を専攻した私にとって、ヴァルター・ベンヤミン(Walter Benjamin 一八九二―一九四〇)は、大学の知的訓練とはまったく別の個人的な読書のなかで追いかけてきた存在でした。高校時代に本屋で何気なく購入した野村修『ベンヤミンの生涯』(平凡社、一九七七)に描かれた、ナチズムの迫害から逃れる亡命の旅の途上、フランス・スペイン国境の町で自死したベンヤミンの生涯の記憶が、私の心の片隅に不思議な痛みとなって留まり続けてきたのです。論理を明晰に積み上げるというよりも、閃いた直観を鮮烈なイメージをともなう文章表現に刻印していったのが、ベンヤミンでした。その最たるものが、死の数カ月前に亡命先のパリで書き上げたと思われる断章集『歴史の概念について(歴史哲学テーゼ)』です。そのテキストは、切迫した状況下のベンヤミンからハンナ・アーレントやジョルジュ・バタイユといった友人の思想家たちに託された複数の手稿・タイプ稿によって伝えられ、現代では綿密な校訂に基づいた翻訳が刊行されています（ベンヤミン　二〇一五）。他に最終稿が存在しており、ベンヤミンが最後の時まで持ち歩いていた「黒い鞄」に入っていたのではないかという推測もあるのですが、行方不明のままです。ともあれ、迫る死の危機に直面してベンヤミンが考察した「歴史とは何か」とも言うべき問いを、私は映画の上映に先立って、生徒に紹介しました。

過去の真のイメージは、さっとかすめて過ぎ去ってゆく。過去はそれが認識可能となる瞬間にだけひらめいて、もう二度とすがたを現わすことがない。（……）過去のイメージは一度逃したらもう取り戻しようのないものであり、現在がそこにおいて〔それを確保するよう〕求められていることを自覚しないかぎり、いつでも現在とともに消失しかねないのである。

過ぎ去ったものを史的探究によってこれとはっきり捉えるとは、〈それがじっさいにあったとおりに〉認識することではない。危機の瞬間にひらめく想起をわがものにすることである。（ベンヤミン　二〇一五：四八―四九頁、〔　〕内は訳者による補足）

ベンヤミンのような過去への向き合い方は、生徒が普段学んでいる世界史とは、あまりに異質に見えます。高校世界史では、教科書に書かれている歴史を「それがあったとおりに」暗記するものだと考えられており、過去が消失するなどということはあるわけがないと思われますし、「危機の瞬間にひらめく想起をわがものにする」といった学習者の主体的な動きに着目することはまずないからです。しかし、私は、「今、ここで」自分が痛切に感じている人類への危機感があるからこそ、はじめて感じとれたり認識できたりする歴史があるのではないかと生徒に語りかけていました。これまで漫然と眺めていた歴史のなかの諸事象の関係があらためて組み直されて、これこそが大切な歴史なのではないかという意味付けが結晶化されてくるという予感です。ベンヤミンのことばに立ち返るならば、彼はこう書き残しています。

一定の星座的布置がさまざまな緊張をはらんで飽和状態にいたっているときに、思考作用が急に停止すると、その布置は衝撃《ショック》を受け、モナドとして結晶することになる。史的唯物論者が歴史的対象に取り組むのは、ほかでもない、対象がモナドとして自分に向きあってくる場合においてのみのことなのだ。（ベンヤミン　二〇一五：六五頁）

ベンヤミンの言う「史的唯物論」とは、それを唱えたソ連のスターリンが独ソ不可侵条約でヒトラーと手を結んだ現実のなかで、人類の解放につながるような真の歴史論を再構築しようとした問題意識を表しています。歴史を解釈することは、無数の歴史事象のあいだに星座をつくるようにつながりを見出していくことなのですが、歴史を見つめる主体の側に切実な問題意識があるときに、星座のような歴史の見え方が、過去と現在が交錯する一点（「モナド」）のように結晶化して自分の前に立ち現れることがあると言うのです（宇和川　二〇二三：二七三頁）。危機のなかで歴史を振り返って、何かをつかみたいという思いは、私だけでなく、生徒たちにも広がっていました。

松本深志高校の『ショア』の上映会は、その年の師走、寒風が吹く放課後に、三夜連続で行われました。三時間を超える上映会を三日連続で行うことで、この大長編映画をすべて鑑賞するという計画でした。数名の仲間で粘り強く観ればよいと思っていたマラソン上映会は、いつしか全校の関心を集め、図書館には毎回一〇〇人を超える生徒たちが、会場から溢れるほどに集まりました。最終日の上映が終わって蛍光灯を点《つ》けた時、入り口近くにはユニフォームや柔道着のままの姿で立ち見の生徒たちがひしめいていることが初めてわかりました。部活動の練習が終わって着替えるのももどかしく駆けつけてくれたようでした。真冬の図書館が熱気で溢れていました。

傍観者の責任、ことばの乱用、他者の根源性

映画『ショア』は、ナチス・ドイツのユダヤ人虐殺からの生還者だけでなく、元ナチス、傍観者としてのポーランド人にもインタビューを重ねています。また、自らも少年時代にナチスの迫害を逃れて亡命した経験をもち、この分野の研究の第一人者となったラウル・ヒルバーグ(Raul Hilberg　一九二六—二〇〇七)が証言をしており、歴史学の知見を踏まえた内容にもなっています。

映画は、松本サリン事件の日々を生きる私たちの心に多くの爪痕《つめあと》を残しました。ユダヤ人を輸送する貨物列車を沿線で見送るポーランド人は、自分の首のところで水平にした手のひらを横に動かしていました。ユダヤ人が殺されることと自分は無関係だとする傍観者であり、そのような傍観者たちの無数の「協力」によってショアは成り立っていました。もうすぐ処刑だという身振りとともに冷めた目で列車を見送るポーランド人と、ユダヤ人を移送する列車のために駅で転轍機を操作するポーランド人は、紙一重の存在でした。ひるがえって現代日本では、オウム真理教の犯行に狂気を見出して憤る人々は、直前には河野義行さんを犯人だと決めつけ、教団の人々とも、そして苦しむ河野一家とも自分は無関係だと思っていました。そして私たちもまたその一人でした。傍観者とは、見て見ぬふりをするというよりも、「事実」を見ようとしない生き方のように思われました。事実を見ようとしないという点では、サリンの後遺症に

今もなお苦しんでいる大勢の人々の事実もまた、見過ごされていました。事実を見るためには、私たちがどれほど自覚的にならなければならないか。映画『ショア』から私たちは、傍観者であり加害者でもある自分について否応なく考えました。

「事実」を見つめるためには、そこで使う「ことば」自体のことも考えていかねばならないということも学びました。通常ユダヤ人虐殺を指す「ホロコースト」とは、一九七八年にアメリカで放映されたTV番組のタイトルであり、その衝撃力から世界中で使われる歴史概念となりました。しかし「ホロコースト」の原義とは、生贄《いけにえ》の動物の肉を焼いて神に捧げるユダヤ教の燔祭《はんさい》のことです。殺された五一〇万人(ヒルバーグの大著が算定した犠牲者数)のユダヤ人を、生贄を意味することばで認識してよいのかと異議を唱える人々がいるのは当然です。これに対して映画のタイトルになった「ショア」とは、ヘブライ語で「絶滅」の意味であり、行為自体を直接的に表現することばです。他方で、ナチス・ドイツは、大虐殺の行為に「最終解決」「再定住」ということばを被せ、プラスの価値をもつように考えました。収容所でユダヤ人が「死者」とか「犠牲者」ということばを使うと殴られ、死体のことを「人形《フィグーレン》」と呼ぶことを強制されました(ランズマン　一九九五：四九頁)。ことばの乱用によって、世界で生起することが、まったく違う見え方をすることを、私たちは学びました。私たちの目の前で苦しんでいる人々は、オウム真理教の麻原教祖が、衆生《しゅじょう》をより高次の世界へ転生させるという「ポア」ということばで殺人を語り、そのことばを信じた実行犯の「善意」の犠牲になった人々でした。

映画のラストは、ワルシャワ・ゲットーの蜂起を戦って地下トンネルから脱出したあと、廃墟と化したゲットーに戻った人物が、独りでさまよい歩いているうちに、自分が「最後のユダヤ人」ならばドイツ兵に殺されてもよいと「平静な気持ち」で死を待望したという証言で終わっています。人が生きていくときには根源的に他者が必要なのであり、だからこそ他者のいのちを守らなければならないのだという映画のメッセージを、高校生が受け止めていました。それは理不尽にも殺害された人々が、きっと誰かにとって必要な他者であったに違いなく、それゆえ殺された人々にはかけがえのない生きる意味がそれぞれにあっただろうことを、私たちに想起させたのでした。

こうした「過去のイメージ」は、ベンヤミンの言うように「危機の瞬間にひらめく想起をわがものにする」ことを目指した私たちの姿勢があったからこそ、見えてきたものであるように思います。この上映会のあとも、「ゼミナール二十一世紀への世界史」は、様々な生徒たちによって続けられ、生徒たちが自由に立てたテーマに基づいて討論会や講演会が重ねられていきました。そして新しく参加してくる生徒たちに、私は、ゼミナールの原点は、松本サリン事件の日々にあるのだということを語り続けました。

対等な立場での対話、学ぶ対象にタブーを作らないこと

そして三年後の一九九八年七月には、生徒たちが河野義行さんをゲストにして、「オウム事件のその後を考えるゼミナール」を企画しました。生徒たちは、事前に河野家を訪問して、ゼミナールの趣旨をお伝えしながら打ち合わせをしています。また、私が「前座」のゼミを開いて、オウム真理教事件の「歴史」を振り返り、生徒たちとディスカッションをしました。メンバーのひとり杉本博志さん(三年生)は、河野さんゼミの開催告知のなかで、こう書いています。

私は、河野さんをお迎えするという今回の企画に、強いこだわりがあります。例の松本サリン事件の際に河野さんを犯人扱いする報道がなされるやいなや、私は河野さんを犯人と信じ込み、思慮分別なく誹謗していました。しかし時がたつにつれ、河野さんが犯人でないことが分かってくると、今度は一転して県警やマスコミを糾弾する立場に身をおきました。今振り返ると、軽薄な自分に恥ずかしさがこみあげてきます。ですから私は、県警やマスコミの姿勢を追及することは必要ですが、情報を受け止める我々の側がもっと賢くならねばならない、と感じています。(松本深志高校図書委員会木曜班　一九九八：一八一頁)

これに続いて、杉本さんは、「前座」ゼミのディスカッションのなかで話題になった「社会のなかで相対化した自分を、さらにもう一度相対化できる自分の視点をもつこと」が大切だと思うと書いています。そして、「人間の生き方を考えさせられる、深いゼミになる予感がしています」と結んでいます。

実は杉本さんが、この告知文のなかで書いた「こだわり」を、さらに強固なものとするような出来事が起こっていました。松本サリン事件からすでに四年が経過しているというのに、河野さんをお招きしたゼミナール開催が事前に予告されると、松本深志高校の当時の校長のところに、地域でも有名な社会的地位のある人物から激しい抗議が寄せられたのです。「オウム真理教の信者に好意的な問題の人物」を、高校生に会わせるべきではないという抗議でした。強行するならば、「考えがある」とも言われました。中止した方がよいと校長から言われた私は、即座に「ゼミナールは絶対にやります」と主張していました。自ら考える場としてのゼミナールが成り立つためには、①構成員が対等の立場で対話に参加することと、②学ぶ対象にタブーをつくらないことが、大前提の条件として存在しなければならないからでした。たとえ自分が処分されたとしても、この大前提は絶対に守らねばならず、ここで自分が傍観者になるわけにはいきませんでした。「当日もなお抗議とか混乱が起きるかもしれないのだが、どんなことがあってもゼミナールはやろう」…そんなことを、私は杉本さんたちと話し合っていたのです。

生徒たちは、この前の年の一九九七年度に「日の丸・君が代を考えるゼミ」を生徒発の企画として開催していました。学習指導要領に規定された、学校教育の儀式において日の丸の掲揚と君が代の斉唱を行うものとするということの教育的意味について、賛成派・反対派・無関心派それぞれの意見を何回にもわたって交わす対話をしていました。国旗・国歌について私は限定容認派なので、反対派の意見を生徒に焚《た》きつけたわけではありません。他の都道府県に比べると遅れたこの時期に、長野県教育委員会は儀式での国歌斉唱の実施を推進し、これに疑問を持った生徒たちがゼミのテーマに日の丸・君が代問題を掲げたのです。このテーマをめぐって、国家とは何か、国民とは何か、戦争責任とは何かといったことを生徒たちと考えてきました。学ぶ対象にタブーを作ってはいけない、さらに言えば、結論を無理にまとめてはいけないということは、そのときからの合言葉だったのです。

「松本サリン事件を通して」と題された河野義行さんの講演は、大勢の生徒たちに加えて一般市民の参加も得て実施されました。河野さんは松本サリン事件のときの体験を詳細に語ったのち、人権の大切さについて身をもって体感した者として考えていることがあると、続けました。推定無罪の原則があるのに警察からのリーク情報を鵜呑みにするような、日本社会のあり方は間違っているのではないかとか、オウム真理教という教団には大きな問題点があるけれども、信者や元信者には人としての権利があり、それを踏まえて、私たちは彼らを拒絶するのではなく、人間どうしとしての対話をしていくべきなのではないかなど、河野さんの語る日本社会の課題は、私たちの生きるスタンスを問い直すものでした。

松本サリン事件という「歴史」にどう向き合ったのか

私たちは、いつどんな抗議がなされるかを警戒して緊張しながら、河野さんとの対話を続けました。その年の図書館ゼミナールの記録冊子『蛍燈』は、河野さんのゼミ開催(文化祭の一環)に合わせて発行されたので、肝心の河野さんの講演の記録を載せていません。でもこのときの『蛍燈』の「あとがき」で、ゼミ運営の中心になっていた前述の杉本さんが、「日の丸・君が代ゼミ」の話題に託して次のように書いているのは、同時に「オウム事件のその後ゼミ」を企画した者の思いだと、私は感じました。

あえて今私は、「日の丸」関連の活動のプラスの面を強調しておきたい。それは、問題の性質ゆえにタブー視される多くの課題に、思い切って挑んでみたということだ。これまでのゼミ活動以上に、個人個人にかかる責任は大きく、一歩踏み出す勇気が求められたが、それを積極的に受け止め進んでいく姿勢を学んだということだ。そして、図書館ゼミ草創期にあった、小規模のサークル活動的なゼミがもっていたような熱気を、取り戻すことができたような気がするのである。(松本深志高校図書委員会木曜班　一九九八：二四八―二四九頁)

考えて発言する者の「責任」と「勇気」、そしてそれに尻込みしないで手を伸ばす「姿勢」(人生のスタンス)について学んだと、杉本さんは書いています。そしてそのことによって、会ったことはない「草創期」の先輩たち、つまり松本サリン事件当時の河野先輩たちの「熱気」を受け継ぐことができたのではないかと、杉本さんは振り返っているのでした。

このような生徒たちとの学びを経験するなかで、松本サリン事件という「歴史」に自分たちはどう向き合ったのかということを、私は折にふれて考えてきました。そして今の私は次のように整理しています。

第一に、「事実」というものがとても見出しにくいものだということを学びました。松本サリン事件という身近に起こった事件ですら、「大きいことになるので覚悟しておけ」とか「薬品の調合を間違えた」といった河野さんの言ってもいないことばが事実として流布し、河野さんを重大な窮地に立たせました。事実は本当にそのように生起したものなのかを繰り返し、そして複数の根拠に照らして検証していかなくてはなりません。また、事実はつねに多面体です。人であれ、事件であれ、ある方向から見えてくる「事実の面」では見えてこない、別の事実のもう一つの面が必ずあるのです。河野さんは、謝罪に来る元信者の人々を家に招き入れ、彼らと対話をするなかで、マスメディアが報じないオウムの一般信者の「ひとりの人間」としての誠実さを見ていました。事実の見出しにくさと多面性に自覚的になったとき、人は目の前の事象に対して断定的な姿勢をとることには、慎重になるのだと思います。

第二に、「事実」をめぐる解釈とか意義付けをどのように行うかによって、その事実の見え方は決定的に異なってくるということを学びました。そもそも事実をどのようなことばで認識するかが違うのです。大量殺人を「ホロコースト」、「ショア」と言うのか、「ポア」と言うのか、ここで後者のことばを使えば、殺人は善行にすら見えてくるのでした。このようなことから「歴史の見方は人それぞれでいい」という相対主義の立場をとるならば、「ポア」という歴史認識を容認してもよいことになるでしょうし、ホロコースト否定論(アウシュヴィッツはなかったという言説)もあってよいということになりかねません。大量破壊兵器を「魔法使いサリー」ととらえる言説もありうるということになってしまいます。

これに対して、相対主義を乗り越えるために、二つの思考が大切になってくるでしょう。一つは、解釈とか意義付けと切り離した事実のレベルだけで、その事実にもとづく確からしさ(事実立脚性)を検証していくということです。松本サリン事件の報道に対して、「河野さんはそのようなことを本当に言ったのか」という検証です。二つ目には、解釈・意義付けのレベルのほうで、その合理性にもとづく確からしさ(論理整合性)を検証していくことも大切でしょう。「警察・マスメディアが河野さんの冤罪を作り出した」という解釈に対して、「警察・マスメデイアがそのように動いた背景を説明しなければ、冤罪がつくられた因果関係が解明されていないのではないか」という検証です。こうした論理整合性をめぐる検証は、多面性という角度からの事実立脚性の検証とたえず交錯していくことになります。そして、この論理整合性の観点に立てば、「早期の逮捕や詳細な報道を煽り立てた「私たち」の存在（というもう一つの事実）を見落としているのではないか」というように、思考の連鎖がうまれてくるでしょう。

では、事実立脚性と論理整合性のものさしを持っていれば、つねに相対主義を乗り越えてより確からしい歴史を描けるのでしょうか。おそらくそれだけではまだ足りないのだと思われます。地下鉄サリン事件の起こった一九九五年は、奇しくも調整をすることがきわめて困難な世界観対立が日本社会に巻き起こった年でした。六月には日本社会党の村山富市内閣（自由民主党などとの連立政権）がいわゆる「戦後五十年決議」を衆議院で行ったさいに、与野党問わずに深刻な意見対立が顕在化しました。日本の植民地支配や侵略的行為についての「深い反省の念」を表明するかいなかの対立でした。この対立は、右派の学者・教育者たちが自由主義史観研究会を結成して「コミンテルン史観」を強く批判し、保守系の政治家がこれを支援したことにより、歴史教育の場でも深刻化していきます。オウム真理教事件をめぐっても、毎日のように教団の「狂気」がマスメディアによってクローズアップされ、自分たちとは全く異質のオウムと、「正常な」自分たちの二項対立が強調されていきました。自分たちと同じ普通の人間がなぜ連続殺人を行い、「こんなことになるとは思っていなかった」井上嘉浩死刑囚が絞首刑執行直前に語ったことば)という状況に陥ったのかを想像する機会が、失われていきました。

このような状況について、世界史を視野に入れた日本近現代史の通史を描いた成田龍一は、大日本帝国の解決されざる矛盾と戦後日本社会の矛盾、そして冷戦体制崩壊後の矛盾などが一挙に現れた「分水嶺」の年として「一九九五年」を位置付けています(成田 二〇一九:四七三頁)。そのことは私や生徒たちが皮膚感覚で感じており、相互に相手のすべてを否定しあうような深刻な世界観の対立と、それをとりまく大多数の傍観者のなかで自分たちが生きているという、問題意識をもっていました。冷戦体制下でも世界観の二項対立はありましたが、それは支持する体制についての対立であり、社会をより良くするための架け橋の必要性が意識されてきました。しかし一九九五年の対立は、歴史と生きる意味をめぐる幾重もの世界観対立であり、対立する相手の言説は自分の根幹を否定するものと受け止められました。いきおい批判のことばの切っ先は鋭くなり、それに関わらない(あるいは表面的にどちらかに与《くみ》する)傍観者を増やしていきました。だからこそこのようなときに傍観者としての相対主義に陥らないようにするために私と生徒たちが試みたのは、対話をすることでした。そして対話に参加するメンバーの対等性、別の表現を使えば相手へのリスペクトを守ろうとしました。そして対話をする目的は、自分の見えていない事実・解釈・意義付けに気づけるかもしれないという、「自分を相対化す

ること」への意志でした。松本サリン事件という「歴史」に向き合った私たちが学んだ第三の

ことは、対話をすることの大切さということになります。

いのちへのリスペクトと他者への回路をつくる「私たち」

対話をするときに、私たちは自分なりの歴史の見方を述べることになります。これ自体、一つの歴史叙述と言えましょう。そして先に引用した杉本さんの振り返りのなかにあったように、対等な対話者には「責任」と「勇気」に踏み出す「姿勢」(人生のスタンス)が求められます。私のことばに置き直すと、対話者どうしと、さらには探究の対象についても、「いのちへのリスペクト」があってはじめて、対話者の対等性と自分の発言に責任と勇気をもつ人生のスタンスがうまれるのではないでしょうか。いのちへのリスペクトがあるからこそ、他者の発言を受け止めて自分の発言(歴史叙述)を相対化し、さらにはその相対化した自分を、対話の展開によってさらに相対化していくような歴史の探究がうまれるのだと思います。相対化を何度も重ねていくことは、多様な歴史叙述の可能性を容認しながらも、多様さの彼方により良き「いのちへのリスペクト」につながる歴史叙述を求め、何でもありでよいとする相対主義を乗り越えていくことになるのです。その場合、「より良き」とは何かについてあらかじめ定義しておくことは、対話の可能性を狭めてしまうでしょう。「いのちへのリスペクト」は、それに向かって

私たちが無限に努力し続けるようなイデア(永遠の理想)なのだと考えてみたらどうでしょうか。

オウム真理教事件の裁判では、麻原教祖や信者たちもまた、世界史を探究していたことが明らかになりました。松本サリン事件の四カ月前にあたる一九九四年二月、麻原教祖は多くの弟子たちと中国に旅行をし、自らがその生まれ変わりと信じている、明の建国者・朱元璋《しゅげんしょう》(一三二八—一九八)の足跡をたどっています。貧農から身をおこして紅巾《こうきん》軍の領袖《りょうしゅう》となり、やがて明を建国して強力な皇帝独裁を築いた朱元璋の歴史にふれたことが、教団の武装化にはずみをつけることになったと、土谷正美死刑囚が語っています。旅の途中、麻原彰晃は「私は日本の王になる」と、引き連れた八〇人あまりの信者に宣言しています(瀬口 二〇一九:一三三—一三四頁)。このとき麻原たちは朱元璋の歴史に真剣に対峙していましたが、彼によって殺害された何万にも及ぶ犠牲者のいのちに対しては傍観者でした。自分たちの歴史叙述をさらに相対化していくような知的探究が欠如していました。そのことが、彼らにとっての世界史を、大量殺人を重ねるための手段(道具)にしてしまったのだと思われます。

私は、イギリスの歴史家エリック・ホブズボーム(Eric Hobsbawm 一九一七—二〇一二)が、歴史学について次のように書いたことの意味を今一度かみしめています。

昔の私は、歴史研究という職業は、たとえば原子物理学とは違って、少なくともなんの害も与えることがないと考えていた。ところがそうではなかった。私たちの研究は、ＩＲＡが化学肥料を爆薬に変えることを学んだ集団実習室と同じような爆弾工場になることが可能なのである。（ホブズボーム　二〇〇一：七頁）

引用文中のＩＲＡとは、北アイルランドのイギリスからの分離をはかるアイルランド共和国軍のことです。歴史学が「爆弾工場」になることが可能だとホブズボームが語っている文脈は、歴史が国家主義的イデオロギーや民族主義・原理主義などのイデオロギーの材料になり、大勢の他者を殺す力を生み出すことを見つめています。歴史について考えるということは、それによって他者を傷つける、場合によっては他者のいのちを奪うことにもつながるのです。

いっぽう地下鉄サリン事件の実行犯であった林郁夫受刑者（無期懲役刑が確定）は、裁判のなかでナチス・ドイツのユダヤ人虐殺について次のように言及しています。

私もナチのことは知っている。小さい時に、本を読んでいて吐き気がして、どうして人間ってこんな残酷なことまでできるんだ、と思った。ほかにも、第五福竜丸のことや原爆のこと、人種差別のことなどを読みました。そういう被害を与えた人たちは特殊な人たちであり、自分は良心に従って行動できると思っていた。でもそうじゃない。単に、過去の残虐な行為

を知っているだけでは抑止力にはならない。（江川　二〇一九：一五八―一五九頁）

オウム真理教の信者たちもナチス・ドイツの残虐行為に嫌悪感を抱いていたのです。でも彼らは残虐行為を遂行しました。この林のことばはとても重く響きます。戦争は悲惨なものだ、だから二度と戦争をしてはならない…そのようなことを高校の教室で生徒たちは言ったり書いたりすることがいくらでもあるのですが、それほど時間が経たないうちに、学びの痕跡はすべて消えていきます。明治の終わり頃に詩人の石川啄木は、「揮発性の言葉」に酔う詩ではなく、「我々に「必要」な詩」を創作していきたいと書きました（石川　一九〇九）。歴史教育のなかで語られる「戦争は悲惨なものだ、だから二度と戦争をしてはならない」ということばも、それがとても大切な真実を突いていたとしても、啄木の言う「揮発性の言葉」になってしまっていると、私は日々の授業のなかで反省してきました。戦争についての断片を知って、一瞬そう思っただけのことなのです。このことが自分にとって必要な歴史の学びだと、心から実感できるようなものになっていたのか。また、そのときに、人のいのちへの深い感情とか洞察が自分のなかで湧きおこり、それが自分自身の何かを相対化することにつながっていたのかが問題なのだと思われます。「我々に「必要」な詩」を書くためには、詩人は「まず第一に「人」でなければならぬ。第二に「人」でなければならぬ。第三に「人」でなければならぬ」と啄木が書いていることは、歴史を学ぶ私たちにも重なるのではないでしょうか。

いのちへのリスペクトをもって歴史を考え、ともに対話している「私たち」は、共同して他者に対抗する同盟者になるというよりも、他者に対して協働して「回路」を作ろうとする「私たち」になるように思います。「回路」というのは抽象的な表現になってしまいますが、安易に連帯とも共感とも言えない、「相手のことをしっかり理解しよう、そのうえで自分自身を見つめ直そう」と思って他者に手を伸ばそうとするいとなみです。だから私だけでなく「私たち」のあり方についても、たえず見つめ直していくことになります。そのような歴史の学びを、日々の授業のなかでどうしたら実現できるのか、このことを私はずっと考えています。

2　私たちの歴史実践と二つの世界史

歴史実践という考え方とその可能性

もう少し歴史学の方法論を整理してみることにしましょう。とかく高校の歴史学習が「〜を暗記しよう」と生徒を問答無用に知識の受け身にしてきたところを、私は生徒が知識をもとに歴史について考える授業に転換させたいのです。そのためにはどうしても「歴史について考える」とはどういうことかについて、自覚的になる必要があります。

まず、歴史とは、歴史学者だけが探究するものではなく、私のような歴史教育者、生徒たち、そしてオウムの信者も含めて様々な一般市民が、日常生活のなかで考える対象にして、それをもとに行動するものです。そうした意味で、歴史について探究したり行為したりすることを、アカデミックな「歴史学」よりも広い視野でとらえて、「歴史実践」ということばで表現する論者が、近年多くなってきています。IRAの歴史を見つめながら歴史学は爆弾工場になりうるとホブズボームが書いたことも、オウム真理教事件を振り返って日本社会の課題を河野さんと高校生が語り合ったことも、歴史実践なのです。私は、世界史というものが単なる他国史ではなく、自国史と他国史をともに包含する歴史そのものであると考えているので、歴史実践を世界史実践と言い換えることもあります。世界史とは、人々が生きる地域(ローカルな場)、国(ナショナルな場)、複数の国を包む広い地域(リージョナルな場)、世界(グローバルな場)といった、重層的な空間の歴史を総称する概念です。ゆえに歴史実践においては、複数の空間の歴史が交錯しあいながら歴史の認識をうみだしていくことになります。松本深志高校の生徒たちは、ローカルな場での身近な経験であった松本サリン事件をナショナルな場の文脈でとらえ直し、さらにはナチス・ドイツの歴史というグローバルな歴史のなかでとらえ直そうとしました。

ちなみに歴史実践ということばが日本社会に広まるきっかけになったのは、オーストラリアの先住民アボリジニの歴史意識を分析した、文化人類学者の保苅実《ほかりみのる》の遺著『ラディカル・オーラル・ヒストリー』(初版二〇〇四)です。保苅は、歴史学者だけでなく一般の人々が広く「日常的実践において歴史とのかかわりをもつ諸行為」をしていることを見つめ、このことを「歴史実践」と名付けました(保苅　二〇一八:五五頁)。恋人と温泉旅行に行く途中に名所旧跡に立ち寄ることや、同窓会に出席すること、歴史シミュレーションゲームで遊ぶことなどもすべて一種の歴史実践です。この歴史実践という考え方に立つことで、保苅は読者をとても驚かせるような大胆な試みをしています。一つは、研究対象としているグリンジ(アボリジニの言語グループのひとつで一九六〇年代から白人に対する土地返還運動を行い、返還を実現させた人々)の歴史意識において、文字記録が蓄積されていないなかで「あそこで白人が死んだのは、法を犯したあの白人に大地が懲罰を与えたからだ」とか、「ケネディ大統領がグリンジ・カントリーを訪問し、アボリジニに出会った(ことで勇気づけられ土地返還運動にはずみがついた)」――しかし実際にはケネディが来た事実はないのですが――と長老が語るとき、それを非学問的なものとして否定するのではなく、長老を対等な歴史実践の主体として受け止めるということでした。保苅はこう述べます。

ギャップはあるんだけれども、ギャップごしのコミュニケーションは可能なはずだって思うんですよ。つまり、「あなたは本当にあったできごとだと思っているかもしれないが、それはじつは神話なんですよ。でもまぁ、僕としては神話としてそれを尊重しますよ」ということではなくて、「あなたの経験を深く共有することはできないかもしれないけれども、それがあなたの真摯な経験であるということはわかります。だから、あなたの歴史経験と私の歴史理解とのあいだの接続可能性や共奏可能性について一緒に考えていきましょう」ということはできるんじゃないか。（保苅　二〇一八：三〇頁）

大地が人間に懲罰を与えるとか、来ていないのにケネディが来たというグリンジの長老の語りを「神話にすぎない」と片付けるのではなく、相手もまた「真摯な経験」にもとづいてそのような歴史叙述をしていることを認め、相手と自分のあいだの「接続可能性」を探究していくべきではないかと、保苅は提唱するのです。この接続可能性は、私が先述した「他者への回路」に重なるものがあります。ただ、ここで問題になるのは、相手が白人の植民地支配に苦しんできたアボリジニとしての「真摯な経験」をもっているから、保苅は接続可能性を探っているのであり、「ホロコーストはなかった」とするような歴史修正主義に対しては「こんなアホみたいな話につきあいたくない」と切り捨てている点です。でも歴史修正主義に立つ人々もまた、自分たちの言説は「真摯な経験」にもとづいていると反論するのではないでしょうか。

歴史対話のかすかな希望

私は、ここで、保苅の著作の大胆な試みの二点目である、学術書でありながら対話スタイルという構成をとっていることに注目したいと思います。『ラディカル・オーラル・ヒストリー』は、「ども、はじめまして、ほかりみのると申します」という書き出しから始まるように、地の文章が話し言葉風のフランクな文体になっているとともに、アボリジニの人々だけでなく、保苅が想定する「反論してくる人」や、本書の作成過程で寄せられた学者・編集者からの手紙・メールがあちこちに挿入されています。つまり複数の声が響きあう多声《ポリフォニック》的でカーニバルのような歴史叙述になっています。実は、「あとがき」を読んで読者は初めて知るのですが、オーストラリアで研究生活をおくっていた著者は末期がんにおかされており、「意識があるのはあと二〜三週間、命があるのはあと二ヶ月、といわれる中での執筆活動」(「あとがき」より)の末に本書を脱稿し、その数日後に急逝したのでした。「危機の瞬間にひらめく想起をわがものにする」(ベンヤミン)ようなこの著作は、大切な他者と対話をした自分の歴史経験を結晶化させるように「複数の声」を織り込んで書かれました。保苅の遺著は、互いの歴史実践を尊重し合うためには、歴史への真摯さ以上に、歴史対話によって歴史実践どうしの間に「回路」(接続可能性)を模索していくことが大切であることを教えてくれているように、私には思えます。もちろん「回路」はそう簡単にできるものではありません。保苅は、「あとがき」の末尾に、尊敬する歴史家グレグ・デニングのことばを引用しながら、こう書き残しています。

私は友人に、書くということは、深い井戸に石を落として、水しぶきが聞こえるのを待っているかのようだ、と言ったことがある。だが友人は、それは違うと言う。彼によれば、書くということは、グランドキャニオンにバラの花弁を落とし、爆発を待っているようなものだ、と。

さて、僕もこうして、一枚の花弁を投げ込むことができた。ゆっくりと爆発を待とうではないですか。(保苅 二〇一八:三二四―三二五頁)

これは保苅の最後のことばです。ここで見つめられている「書くということ」は、「授業をすること」とか「歴史対話をすること」と言い換えることもできるのではないでしょうか。私の声が聞かれたことを確認する(水しぶきの音を聞く)だけではなくて、私の声を受け止めて相手が何らかの応答をしてくれる(爆発の音と風を感ずる)ことを想像して、そして期待して、私たちは歴史対話をするのです。その爆発によって変化するのは、相手であり、私自身でもあります。ただしそのような感動的な経験は、グランドキャニオンに花弁を落とし、反応を待つような、本当にかすかな希望でしかありません。それでもその希望に期待しようとする保苅に、私は心から共感します。

歴史教育が大きく転換しようとしている現在、生徒が歴史実践の主体としていかに歴史をとらえ、それをもとにどう生きるかが大切になってきます。しかし、そうなると教育に関わる者の習い性として、生徒がどのように望ましい方向に変容（成長）していくかをあらかじめ計画して、見取り、振り返るというような、教師の生徒に対する精密な働きかけに関心が集中されがちです。そのときに忘れられがちなのが、生徒は「他者」であり、教師と生徒の間にはグランドキャニオンの絶壁の高さくらいの距離があるという当たり前の事実であるように思います。だからこそ、教師はグランドキャニオンに花弁を落とすときに、これをしたら歴史対話がどのように展開するか（花弁がどのように落ちていくのか）を予想する以上に、歴史対話のなかで何を一緒に考えたいのか（落とすのをどの花弁にするのか）を研ぎ澄ませることが大切になってくるのではないでしょうか。教育がコンテンツ・ベース（内容中心主義）からコンピテンシー・ベース（資質・能力中心主義）に改革されるべきことが叫ばれているのが現代日本なのですが、コンピテンシー・ベースを実現するためには、実はより一層コンテンツ・ベースを研ぎ澄ませていかねばならないのです。

「世界と向き合う世界史」と「世界のつながりを考える世界史」

歴史実践と世界史の関係をもう少し掘り下げてみると、歴史実践は二つの形の世界史をうみだすように思われます。一つは、「世界と向き合う世界史」です。松本サリン事件の日々に私たちがナチス・ドイツの歴史について考えたように、人は自分の置かれている状況や自分の進むべき道を考える際、この世界に生きた「過去」の人々や時代のありようを参照します。そしてアボリジニの人々の歴史をめぐる記憶を保苅実が『ラディカル・オーラル・ヒストリー』という歴史書に記述したように、未来の人々が「過去」の人々の軌跡に対峙できるよう、人々の歴史実践のありようを書きとめて忘却に抗おうとします。松本深志高校の生徒たちも保苅も「世界と向き合う世界史」を実践しているのだと考えてみたらどうでしょうか。こうした世界史実践は、特定の時代の特定の事件・事象を切り出して、テーマ設定にもとづく歴史叙述を創造します。たとえて言えば、地域別・国別に構成された世界史年表のなかの事象や事象同士の関係をめぐる歴史叙述と言えましょう。生徒が、オウム真理教事件を振り返るゼミで発言したとき、それもまた「世界と向き合う世界史」の歴史叙述をしていたことになります。

それに対して、もう一つの世界史には、歴史年表の事象の関係を大きくつなぐ「世界のつながりを考える世界史」があります。たとえば、ナチス・ドイツの独裁体制がなぜ生まれたのか、そしてナチス・ドイツと同盟した日本の独裁体制がなぜ生まれたのかについて、世界のつながりのなかで描き出した著作に、バリントン・ムーア(Barrington Moore Jr.　一九一三—二〇〇五)の『独裁と民主政治の社会的起源』(原著一九六六)があります。ムーアは、世界史が前近代から近代世界に移行するときに、三つの主要な歴史発展の道が見られると分析しました。「ブルジョワ革命」が、過去から引き継がれている、民主主義と資本主義の発展を妨げるような障害を打倒することに成功したかどうかによって、三つの道が分かれます。そしてその際には、新たに経済的に成長してくる「商業営利的農業」に対して地主上層階級や農民層がどのような動きをしたかという点が重要になってくると、ムーアは指摘します。一つめの道は、大規模な革命や内乱を経て、資本主義と民主主義の結合が発展した、イギリス・フランス・アメリカの「ブルジョワ革命」の道です。イギリスでは地主たち(ジェントリ)が新たな潮流の主体になり、反対にフランス・アメリカでは地主たちが革命・内乱の過程で一掃されました。二つめの道は、資本主義は発展したけれども民主主義が抑制された、ドイツ・日本の「上からの革命」の道です。革命を推進する力が弱くて敗北し、商工業階級と地主上層階級が連合しあった結果、「半議会主義体制」のもとで近代産業社会が急速に発展することになり、そのなかからファシズム独裁が現れました。三つめの道は、農業社会的官僚制が商工業階級を二つめの道以上に抑制した、ロシア・中国の「共産主義」の道です。この社会では近代化への第一歩を踏み出せなかったがゆえに大量の農民層が残存しました。やがて一つめの道と二つめの道の勢力に侵食されたことで共産主義者のリーダーシップが農民を動員して、共産主義革命を行っていきました。このようなムーアの世界史は、複数の歴史事象のつながりや意義づけを大きな空間軸・時間軸のなかで行うものであり、「世界のつながりを考える世界史」だと言えるでしょう。

「世界のつながりを考える世界史」の三つのタイプ

ちなみに、ムーアが着目した「ブルジョワ革命」という概念は、マルクス主義歴史学が使ってきたものです。「市民革命」によって創られたのは資本家階級(ブルジョワジー)が支配する資本主義社会であり、そこから「社会主義革命」を行ってさらに平等な社会を創る必要があると考え、「市民革命」を「ブルジョワ革命」と言いかえたのでした。ムーアはマルクス主義に立つ歴史家ではありませんが、日本の戦前・戦後のマルクス主義歴史学(明治維新はブルジョワ革命ではなく絶対主義をうみだしたにすぎないと考える「講座派」の考え方)の流れをくむ歴史研究の影響を受けながら、こうした複数の歴史発展のコース(類型)を描き出しました。近代の歴史について、革命を成功させたイギリス・フランス・アメリカと、革命が不徹底に終わったドイツ・日本を対比的に描いて、後者に、ファシズムに至るような民主主義なき資本主義の歴史を見出すような歴史の見方は、ムーアほど明確でないにしても、多くの日本の歴史家が同じフレームを共有してきました。今でも日本の世界史教育に大きな影響を残していると言えます。こうした歴史発展のパターンによって「世界のつながりを考える世界史」を描き出す方法を、歴史類型論タイプと名付けておきます。

このようなフレームにはいくつもの問題点があります。たとえば、歴史類型論は、ある大切な歴史の段階＝出発点（たとえばブルジョワ革命）をクリアしているかどうかという観点で歴史を解釈しがちです。しかし、そもそも異なる社会・文化・対外関係のなかで生きている人々について、単一のものさしで発展の段階を比較できるのでしょうか。類型論は、わかりやすいけれども歴史を単純化しすぎている問題点があります。それぞれの道を特徴づけるために着目した歴史事象が、フレームに適合するように選ばれた「事実」であるために、異なる「事実」を使って歴史を描けば、まったく異なる歴史類型論になりうるのです。そして類型の単位が国家になりがちなために、国家どうしの関係や国家を越えてつながり動く人・モノ・情報などへの関心が薄まってしまうことは否めません。

これに対して、同じようにナチス・ドイツの独裁がなぜうまれたのかを世界のつながりのなかで考えた、別の世界史の描き方もあります。先にも登場したエリック・ホブズボーム（二四頁参照）に『20世紀の歴史——極端な時代』（原著一九九四）という代表作があります。第一次世界大戦が勃発した一九一四年からソ連邦が解体する一九九一年までをひとまとまりの「短い二〇世紀」ととらえ、それをさらに三つの時代の重なりとして描き出しています。一九一四年から第二次世界大戦終結までの「破局の時代」、その後の一九七〇年代初期までの異様な経済成長が見られた「黄金の時代」、そしてその後に再来した「破局の時代」という三つの時代のサンドイッチ構造として二〇世紀を特徴づけるのです。ナチス・ドイツは最初の「破局の時代」に位置付けられます。ホブズボームは、戦間期の資本主義経済の動向を最重要視して、結局のところ経済を拡大し続けるだけの需要が存在せず、アメリカと他の国々の経済発展の非対称性が大きかったことなどから大恐慌がおこり、その混乱のなかで知識人・社会活動家・一般市民たちが、自分たちの住んでいる世界を根本的に間違っていると疑う信念をもつようになったことを見つめます。その表れとして、大恐慌によって各国の経済的自由主義が後退し、政治的な自由主義までもが退場していくようになります。ドイツのファシズムは、そのような世界の資本主義経済の変動のなかで起こった、広範な反自由主義運動の一つとしてとらえられるのです。ナチス・ドイツの反自由主義が効果的に大恐慌から経済を回復させたことで、いっそう自由主義の退潮が世界中で進みました。一九二〇年には世界で三五カ国かそれ以上存在した立憲主義的な政府が、一九四四年には地球上にある六四カ国中のわずか一二カ国に激減していきます。戦前期の日本は、大衆を動員した大がかりな運動によって新体制を構築するファシズムとは言えませんが、それでもファシズムと同じような反自由主義の潮流の一つであったと、ホブズボームは見なします。ナチスについて言えば、民主主義だからこそ生まれた独裁であると見ているわけです。ムーアのような歴史発展のコースはもはや問題ではありません。ホブズボームは、西ヨーロッパ・アメリカ・日本だけでなく、東ヨーロッパ、ラテンアメリカやアジア、アフリカなどに視野を広げて、資本主義経済の変動のなかで生じた反自由主義運動の大きな潮流を見つめ、そこに人種主義や反社会主義などいくつもの重要な歴史の流れを交錯させることで、ナチス・ドイツの時代の世界史を描き出しました。このように世界のつながりの根底に世界経済の動向を置いて、個々の歴史事象をその世界経済の構造のなかで描き出す「世界のつながりを考える世界史」を、歴史構造論タイプとしておきましょう。

ホブズボームは別の論文のなかで、歴史の発展には「方向づけ」があると強調します。人間が自然を制御するプロセスとその力の進歩には、「生産力の変化」と「社会的生産関係の変化」をともなうので、社会や経済の構造がどのように変化していくのかという点については、おのずと「一定の順序」がうまれることになるのです（ホブズボーム　二〇〇一：二一七頁）。産業革命を経た人類の社会・経済は、それ以前の状態に全体としては戻せないわけですから、世界のつながりの根底に世界経済の構造・動向をおく見方は、確かな意義をもつだろうと思われます。さらに言うならば、このような歴史構造論タイプの世界史をふまえて、経済発展の多様な経路

（類型）を描き出す新しい歴史類型論が、こんにちの歴史研究には見られるようになってきています。ここでは、その一つとして、「東アジア型経済発展経路」を壮大な世界史として考察している、杉原薫『世界史のなかの東アジアの奇跡』（二〇二〇）の書名をあげておきます。この著作は、第5講で再びとりあげます。

さて、「世界のつながりを考える世界史」の三つめのタイプとして、先述した映画『ショア』に登場しているラウル・ヒルバーグの『ヨーロッパ・ユダヤ人の絶滅』（原著初版一九六一）をみてみましょう。この著作は、日本語訳でも上下二巻、一二〇〇頁に及ぶ大作です。ヒルバーグは、古代ローマ時代にまでさかのぼって反ユダヤ主義がどのように世界史に展開してきたのかをたどり、ユダヤ教徒に対する宗教的な迫害・差別であったものが、一九世紀の人種主義においてはユダヤ教徒の文化的特質が肉体的特質に由来していると考えるようになり、ユダヤ人が「人種」として扱われるようになったと分析します。それがナチス・ドイツの段階になると、「①ユダヤ人の定義→②ユダヤ人の財産収用→③ユダヤ人のゲットーへの強制収容→④ヨーロッパ・ユダヤ人の抹殺」という順序で迫害が進み、最終的には大虐殺が行われていきました。それぞれの段階で、どのような政策決定がなされ、どのような人々によって遂行されたのか、そして最初から全過程が計画されていたわけではないなかで、どのようにある段階が次の段階につながっていったのかを、ヒルバーグは詳細に実証していきます。ことに圧巻なのは、「第

8章「移送」で、それを遂行した中心機関がどこであり、どのようなプロセスをたどったのかはもちろんのこと、占領地や同盟国からの移送がどのように行われたのかについて、ポーランド・ノルウェー・デンマーク・オランダ・ルクセンブルク・ベルギー・フランス・イタリア・バルカン諸国の歴史が詳細にたどられています。「神は細部に宿る」という諺《ことわざ》があるように、本書が明らかにする移送の細かな一つ一つの「事実」が、ユダヤ人虐殺の歴史を克明に浮き彫りにしていきます。

ユダヤ人は貨車で運ばれたが、帝国鉄道の財務担当官によって、旅客として記帳された。原則的には、どんな旅行者グループも料金を払って乗車した。三等の基本料金は、一運行キロメートルにつき四ペニヒであった。一〇歳未満の児童は半額料金、四歳未満の幼児は無料であった。団体料金(三等料金の半額)は、四〇〇人以上を運べば利用できた。請求書の宛先は、輸送を申請する機関であった。ユダヤ人の死の列車の場合、その機関は国家保安本部であった。移送される者には片道料金、監視員には往復料金が払われた。(ヒルバーグ　一九九七：上巻三一二頁)

移送されるユダヤ人は「旅客」と呼ばれており、片道分の運賃が鉄道会社には支払われていたのです。この引用箇所の続きでヒルバーグが書いていますが、列車の編成や時刻表づくりは旅客担当官によって実行されていました。主観的には傍観者だと思っている「協力者」(共犯者)たちが、膨大に存在したからこそ「ショア」が実現したのだということがわかります。ヒルバーグは、時間軸と空間軸をめいっぱい拡大しながら、ナチス・ドイツのユダヤ人虐殺を歴史のつながりのなかに位置付け、そのプロセスを網羅的に明らかにしました。このような歴史実践を「世界のつながりを考える世界史」の歴史連関分析タイプとよびたいと思います。このタイプは、「世界と向き合う世界史」の時間軸・空間軸を拡大するなかで、焦点となる歴史事象の分析を深めていくものであり、私たちにより深い歴史の見方を教えてくれるのです。

以上の三つのタイプに加えて、高校の「歴史総合」や「世界史探究」「日本史探究」の教科書もまた、私たちが最も多く目にする「世界のつながりを考える世界史」であると言えます。しかし無味乾燥に出来事が並列されているだけならば、それらは第四のカテゴリーの歴史羅列タイプとでも言わなければなりません。しかしよく読み込んでみると、そこには歴史類型論タイプ、歴史構造論タイプ、歴史連関分析タイプなどの歴史叙述が、描きこまれています。したがって、高校の歴史の教科書は、歴史羅列タイプと他タイプの複合形なのです。

生徒の歴史実践を考える

では、授業のなかで高校生が話したり書いたりする歴史の考察はどうでしょうか。多くは「世界と向き合う世界史」の歴史叙述なのですが、先に紹介した私たちの「ショア」をめぐる図書館ゼミのように、時間軸・空間軸を広げて複数の歴史事象どうしの連関を広く考察するならば「世界のつながりを考える世界史」の歴史連関分析タイプの歴史叙述をしていることになります。では、歴史類型論タイプや歴史構造論タイプの考察は高校の授業には無理なのでしょうか。「無理だろう」という声が聞こえてきそうですが、私はあえてチャレンジしたいと思っています。いや、チャレンジなどと身構えなくても、生徒たちのなかに自ずとそのような考察がうまれるのであり、大切なのはそれを見逃さない教師の側の感度なのでしょう。

私はこれまでどの高校に勤めていても、毎回の定期考査の最後の問題に必ず「今回の範囲の授業を受けて、あなたが考えたことを自由に論述してください」という問題を出してきました。五〜一〇点くらいの配点になる生徒の歴史叙述です。九割以上の配点は、（　）の穴埋め、四択正誤判定、論述問題からなる他の問題なのですが、配点とは関係なく一番大切なのは最後の自由論述だと、私は生徒たちに強調してきたつもりです。生徒の答案のなかで特に感銘を受けた文章は、授業で共有したり、自分自身の勉強のために記録したりしてきました。最近、それを読み返していて、二〇〇四年度の松本深志高校三年「世界史B」の学年末考査（一二月実施）で、次のような論述をしてくれた生徒（Sさん）がいることに気づきました。「ゴルバチョフの新思考外交」について考えた授業への批評です。

父なるツァーリから、英雄レーニンへ、残忍なスターリンを経てゴルバチョフへ。一九世紀から二〇世紀のロシアはまさに物語のような歴史を送ってきた。一九世紀ではヨーロッパでもっとも遅れた国ロシアが、二〇世紀になって新思考外交という新たな枠組みを世界に提示した。そこでは人は、アダム・スミスのいう経済人ではなく、共に歩むパートナーである。しかし最近のロシアを見るにつけ、また父なるツァーリの時代へと戻ってしまったと思わざるをえない。戻ったというより、ゴルバチョフの時代においてさえ、人々の精神性は一向に変化しなかったのかもしれない。表面的には「新思考」であってもだ。

思うに歴史は祈りのようなものかもしれない。(……)真に祈るものは決して願おうとはしない。ただひたすら自分の所業を語り、今生きていることの感謝をするのみである。歴史とは未来の希望ではない。現在への祈りであると思う。

二段落からなる文章で、省略箇所も含めて総文字数四四七字の歴史叙述でした。ちなみにこの分量は平均程度です。二つの段落間の論理整合性にやや飛躍があるのですが、彼の思考の動きが私には想像できるような気がしました。これに対して、今の私ならば、こうコメントしてあげたいと思います。

プーチンのチェチェンへの侵攻や大統領選挙での圧勝を見て、結局ロシアでは、世界の人々と共有できるような思考・ファクトの存在すら許さないような独裁権力の歴史が綿々と続いてきたし、これからも続くのではないかと、君は見ていますね。**世界史のなかでロシアが独特な道(類型)を歩んでいるという歴史叙述です。類型論的に他者を見ると、「だから彼らは特殊でダメなのだ」と否定してしまいがちです。でも君は自分自身の行為を直視し、いのちの大切さをかみしめるしかないと、ロシアの人々と自分を同列に語っています。ロシアのような秘密警察によるファクト弾圧ではないにしても、自分たちの社会にも別の形でファクトの存立を危うくするところがあるのではないかという痛みの自覚です。**この歴史を見つめるときの痛みの自覚は、ベンヤミンを思い起こさせる結論ですね。

二〇〇四年当時の私は、後半のベンヤミンのくだりをコメントした記憶があります。生徒の思考が、まるでベンヤミンが『歴史の概念について』のなかでそのイメージを描いた、未来に背を向けて過去と現在の「瓦礫《がれき》の山」を見つめ続けている「歴史の天使」のようだと、私は受け止めたのです。しかし、このときの私にはゴシック体の個所のアドバイスができるだけの世界史の見方がありませんでした。この生徒は、ロシア史の類型性に気づきながらも、自分の考察を単なるロシア否定論にしていません。安易な理想を語るのではなく、他者の問題点に気づくことを自分自身についての反省につなげ、いのちの大切さをかみしめることを「祈り」と表現しています。実際、現代に生きる私たちは、世界中に報道された虐殺の映像のファクトすら否定するプーチンのウクライナ戦争に直面し、その合わせ鏡のように、アメリカや日本の社会でも、ファクトがどのようにレッテルに覆われていくのかを見つめています。「嘘つきが最後には自分自身の嘘を信じるようになる」政治現象が世界史では反復されてきました(重田 二〇二二:三二頁)。そのような救いようのない現実を見つめながら、この生徒は「祈り続けること」の必要性を論じているわけです。歴史実践の方法論に対して当時の私がもっと自覚的であれば、この生徒が類型論をとりながらも、それを他者否定の論理にしていないことを積極的に評価してあげられたのに…と悔やまれます。

多くの人々にとっては、教養形成として「世界のつながりを考える世界史」について学ぶ経験を重ねながら、生きるそれぞれの局面において「世界と向き合う世界史」を考えるというのが、歴史実践のありようなのだと思われます。いっぽう、歴史を研究したり教えたりすることを職業とする歴史家、歴史教育者は、「世界と向き合う世界史」の探究を重ねるなかで、それらの集積としての「世界のつながりを考える世界史」を考察していきます。そして「世界のつながりを考える世界史」は、新たに生まれる「世界と向き合う世界史」の衝撃と蓄積によって相対化され、更新されていくのです。でも私が本当に実践してみたいのは、生徒たちが「世界と向き合う世界史」の探究を重ねるなかで、教科書の「世界のつながりを考える世界史」を自分なりに書き直していくことです。私と生徒たち——私たち——がいかに歴史実践の主体になれるかを追求したいのです。

先ほどの生徒の自由論述に対する私の後悔に話を戻すと、「アドバイスがもっと丁寧にできたのに」と悔やむのは、「グランドキャニオンにバラの花弁を落とし、爆発を待っている」自分は、爆風を感じられたはずなのに、それを受け止める感度がなかったことを自覚したからです。歴史実践とはどういうことだろうかという方法論に自覚的になることは、他者の歴史実践に出会ったときの自分の「感度＝応答力」を高めていくことになるのだろうと、私は考えています。

そして、高校生は単なる知識の受け取り手ではありません。再びベンヤミン『歴史の概念について』を援用するならば、高校生は、様々な歴史事象を結ぶ歴史の見え方（「星座的布置」）のなかから、過去の危機と現代の危機が重なる一点（「モナド」）を見い出すことが、大人以上にできる存在ではないかと私は考えています。なぜならば、危機のなかで生きることに慣れてしまい、危機をとらえる感性が擦り減っている大人よりも、危機の克服のための歴史認識（「出来事のメシア的停止」）をとらえる鋭敏さがあるからです。歴史を心の痛みとともに見つめる高校生の迫力から私自身がきっとたくさんのことを学べるだろうというリスペクトの心をもって、私は授業に臨みたいと思っています。

第1講の参考文献

石川啄木（一九〇九）「食うべき詩」『東京日々新聞』掲載、のちに『弓町より』所収、青空文庫、一九九八年公開

江川紹子（二〇一九）『「カルト」はすぐ隣に——オウムに引き寄せられた若者たち』岩波書店《ジュニア新書》

宇和川雄（二〇二三）『ベンヤミンの歴史哲学——ミクロロギーと普遍史』人文書院

河野義行（二〇〇一）『「疑惑」は晴れようとも——松本サリン事件の犯人とされた私』文藝春秋《文春文庫》

重田園江（二〇二二）『真理の語り手——アーレントとウクライナ戦争』白水社

杉原薫（二〇二〇）『世界史のなかの東アジアの奇跡』名古屋大学出版会

瀬口晴義（二〇一九）『オウム真理教　偽りの救済』集英社

成田龍一(二〇一九)『近現代日本史との対話【戦中・戦後―現在編】』集英社《新書》
ヒルバーグ、ラウル(一九九七)『ヨーロッパ・ユダヤ人の絶滅』全二巻、望田幸男・原田一美・井上茂子訳、柏書房
保苅実(二〇一八)『ラディカル・オーラル・ヒストリー――オーストラリア先住民アボリジニの歴史実践』岩波書店《現代文庫》
ホブズボーム、エリック(一九九六)『20世紀の歴史――極端な時代』全二巻、河合秀和訳、三省堂
ホブズボーム、エリック(二〇〇一)『ホブズボーム 歴史論』原剛訳、ミネルヴァ書房
ベンヤミン、ヴァルター(二〇一五)『歴史の概念について』鹿島徹訳・評注、未來社
松本深志高校図書委員会木曜班(一九九八)『蛍燈――図書館ゼミの記録　1997.6-1998.6』
ムーア、バリントン(二〇一九)『独裁と民主政治の社会的起源――近代世界形成過程における領主と農民』全二巻、宮崎隆次・森山茂徳・高橋直樹訳、岩波書店《文庫》
ランズマン、クロード(一九九五)『ショアー』高橋武智訳、作品社

第2講

世界史の主体的な学び方

1　歴史実践の六層構造

遅塚忠躬『史学概論』の作業工程表

歴史実践とはどのようないとなみなのかを、その行為の内容を分解しながら考えてみましょう。この点で私が何度も読み返してきたのが、遅塚忠躬《ちづかただみ》(一九三二―二〇一〇)の『史学概論』(二〇一〇)です。遅塚はフランス革命史の泰斗《たいと》であり、私の恩師でもありました。研究者としての円熟期になって取り組みたい革命史のテーマが山ほどあるなかで、彼はひたすらに歴史学とはどのような学問かという根本的な問いに取り組み、四八四頁に及ぶ大著を完成させたのです。「はしがき」に「厄介な病気を抱えながら」の執筆であったことを告白している先生は、刊行時に、「これは私から貴兄たち、お若い方への遺言のつもりです。どうぞこの後も、教育研究に御精進下さいますように」と端正な文字で書かれた手紙を私にくださいました。半年後に先生はお亡くなりになりました。ベンヤミン『歴史の概念について』、保苅実『ラディカル・オーラル・ヒストリー』、遅塚忠躬『史学概論』という三冊の遺著が、今の私の世界史教育の土台を形作っています。

遅塚の『史学概論』は、あくまで学問としての歴史学について、趣味としての歴史や文学・経済学などの他のいとなみと区別しながら、その目的・対象・方法を論じています。私は、歴史学の「作業工程表」という形で学問的手続きを論じたくだりに着目してみたいと思います。

①問題関心を抱いて過去に問いかけ、問題を設定する。
②その問題設定に適した事実を発見するために、雑多な史料群のなかからその問題に関係する諸種の史料を選び出す。
③諸種の史料の記述の検討(史料批判・照合・解釈)によって、史料の背後にある事実を認識(確認・復元・推測)する(この工程は考証ないし実証と呼ばれる)。
④考証によって認識された諸事実を素材として、さまざまな事実の間の関連(因果関連なり相互関連なり)を想定し、諸事実の意味(歴史的意義)を解釈する。
⑤その想定と解釈の結果として、最初の問題設定についての仮説(命題)を提示し、その仮説に基づいて歴史像を構築したり修正したりする。(遅塚　二〇一〇：一一六頁)

このような「作業工程」をふまえる歴史学は、宗教・イデオロギー・芸術とは明確に区別された「客観的な科学のひとつ」であり、それを担保するのは、事実立脚性と論理整合性です。そして、この二つの判断基準にもとづいて、自らの言説を他者と自己点検の反証にさらし、繰り返し過去に問いかけ、繰り返し過去を読み直すことにより、傲慢や卑屈の弊を免れて独善や非寛容に陥る危険性を避けることができ、この緊張関係においてのみ、歴史学は、学の名に値するものとなる――このように遅塚は論じています。

歴史実践の作業工程表を作るための観点

これを受けて私はさらに四つのことを考えたいと思います。第一に、遅塚が歴史学という学問のいとなみのプロセス・方法とはどのようなものかを考えるとき、視野を研究レベルに厳密に区切っているのに対して、もっと視野を拡大して、人々に開かれた「歴史実践」のプロセス・方法を考えることはできないだろうかという関心が私にはあります。皆が大学で専門の知的トレーニングを受けるわけではない高校生たちに、歴史を学ぶ方法――歴史を参照して生きていく方法――をどう示せばよいのだろうかという問題意識です。

第二に、「事実」というもののとらえ難さを、より一層見つめるような作業工程表にすることを考えたいのです。遅塚の「作業工程」は、歴史家の解釈や概念に先立って事実が独立に存在しており、事実は概念に先立っているという考え方が基礎になっています。ある事件についての中核をなす事実とか、統計的にたどれるような事実が、「揺らがない事実」としてきちんと存在しているのだ、というわけです。もちろん事実を全体として見ると、文化史で描き出されるような事実や、事件についての周辺をなす事実など、「揺らぐ事実」もたくさんあり、どのようなすぐれた歴史研究でも完全な事実立脚性を実現させることはできないと、遅塚は言います。しかし、これまでにも見てきたように、事実というものは常に多面体としてそこに存在しているのであり、しかもその事実は誰かの記録・証言などによって「情報」として伝えられるものでもあります。情報には必然的にどのようなことばでそれを表現するのかという問題もつきまといます。現に松本サリン事件のときには、事件発生からわずか二日後にはもう、河野さんが言ったはずのないことばが「事実」として社会に広まり、事件を解釈する重要なフレームを作っていました。このことを考えると、歴史を探究するいとなみを、一人の人間のなかの作業工程だけにとどめていては不十分なのではないかと思うのです。

そして私の問題意識の第三は、遅塚が工程④として述べている「さまざまな事実の間の関連の解釈」と「諸事実の意味の解釈」が、次元の異なるいとなみではないかという点にあります。「諸事実の意味の解釈」は、その人の世界観・価値観とぬきがたく一体化しているものであり、むしろ「諸事実の意味の解釈」への意思が、最初の工程①の「問題関心を抱いて過去に問いかけ、問題を設定する」を動かしているのだと思います。だからこそ、歴史認識をめぐる激しい対立が起こっているとき、自分とは相容れない歴史叙述に対して、その事実をめぐる解釈の誤りを批判するとともに、その解釈から引き出されている相手の世界観・人間観をもっと厳しく批判しがちになるわけです。相手側から見れば、自分たちの生きる根本のところを攻撃されたと感じ、批判した者の世界観・人間観を一層嫌悪するようになるでしょう。これが高校の教室で起こったらどうなるのでしょう。高校の教室は、どんなことがあってもお互いを尊重する場でなければなりません。しかし実際には高校の教師は生徒どうしの人間的対立をおそれ、そして教師自身が管理職・保護者・匿名の他者から攻撃されることをおそれ、授業では歴史認識の対立がおこっている歴史事象をタブーにする傾向が生じています。昭和天皇の戦争指導、帝国支配下の慰安婦たち、南京事件など、生徒は授業ではほとんど学ばず、世の中のマスメディアやインターネットにあふれる言説のシャワーを浴びるなかで、直感的に自分の歴史観を形成していくしかありません。このような閉塞感を開く工夫ができないだろうかと思うのです。

私の問題意識の第四は、第二の「事実の不確かさの自覚」とも深く関係してきますが、歴史はつねに「書かれたもの／語られたもの」をとおして、基本的には「ことば」によって私たちに伝わってくるものだということについて、もっと自覚的な作業工程にするべきではないかという点です。歴史上の出来事は歴史叙述よりも時間的には先に存在しているわけですが、私たちは歴史叙述を通してでなければ歴史的な出来事を知ることができません。したがって、私たちの認識のレベルにおいては、歴史上の出来事が立ち現れたときよりも歴史叙述の方が先に存在していることになります。存在論と認識論の双方から見たときには、歴史的出来事と歴史叙述には循環構造があるのです（野家　二〇一六：四六頁）。

したがって、哲学者ヘーゲル（G. W. F. Hegel　一七七〇―一八三一）の『歴史哲学講義』（原著一八三七／四〇）が、「ドイツ語で歴史（Geschichite）というと、そこには客観的な面と主観的な面が統一されていて、「歴史」は「なされたこと」を意味するとともに、「なされたことの物語」をも意味します。（……）そこには、歴史物語が本来の歴史的な行為や事件と同時にあらわれることが示唆されていて、しかも、たしかに、歴史物語と歴史とをともどもうみだす同一の内面的な基礎が存在するのです」（ヘーゲル　一九九四：上巻一〇八頁）と述べているのは、歴史を単純化しすぎていると言えましょう。実際には「なされたこと」（出来事としての歴史）と「なされたことの物語」（歴史叙述）は別々の存在であり、私たちは歴史叙述を通じてのみ、出来事としての歴史に手を伸ばしていることになると言うべきなのです。個人の著作として初めて歴史を書いたのは、古代ギリシアのヘロドトス（Hērodotos　前五世紀、生没年不詳）です。ペルシア戦争の記録を著述した、彼の著書のタイトル『歴史（Historiai）』は、ギリシア語で「調査・探究する」を意味するhistoria（ヒストリアー）の複数形でした。ヘロドトスのこの著作の影響があって、historiaが一〇〇年後のアリストテレスの頃までに「過去の出来事の探究の記録」という意味になっていきました。したがってヘーゲルに戻れば、「なされたことの物語」が「なされたこと」と同一であるかのように思われてきたのは、「内面的な基礎」があるというよりも、人間の認識の働きの限界が、そのようにさせてきたと言うべきなのでしょう。

私たちが参照する歴史とは「探究された歴史(歴史叙述)」なのであって、「実際におこった歴史」そのものではないのです。ここで言う歴史叙述には、歴史に関する著作だけでなく、一次史料とも言うべきその時代の文書、当事者の証言なども含まれます。だから高校の授業で「歴史を学ぶ」といういとなみは、叙述された歴史を検討しながら実際におこった歴史に手を伸ばそうとする学びなのであり、焦点化して言えば、「重層的な歴史叙述を検討する学び」なのです。本シリーズの第二巻の成田龍一にならえば、「「歴史叙述」をあらたな関係性のなかで練り上げていく「歴史実践」」なのだと言えましょう(成田　二〇二二：一四頁)。つまり、過去から現在までの様々な「叙述された歴史」を検討しながら、「私が叙述した歴史」(歴史認識)を相対化して練り上げていくいとなみが、世界史を学習するということなのです。このことを私なりにまとめてみたのが、**図1**です。

一点だけ補足をしておくと、松本サリン事件の当事者であった河野さんに証言をしてもらったとか、被曝体験者・満洲からの引揚体験者に証言をしてもらったときの「証言」という歴史叙述は、「実際におこった歴史」だと思われがちですが、やはりこれも「実際におこった歴史」

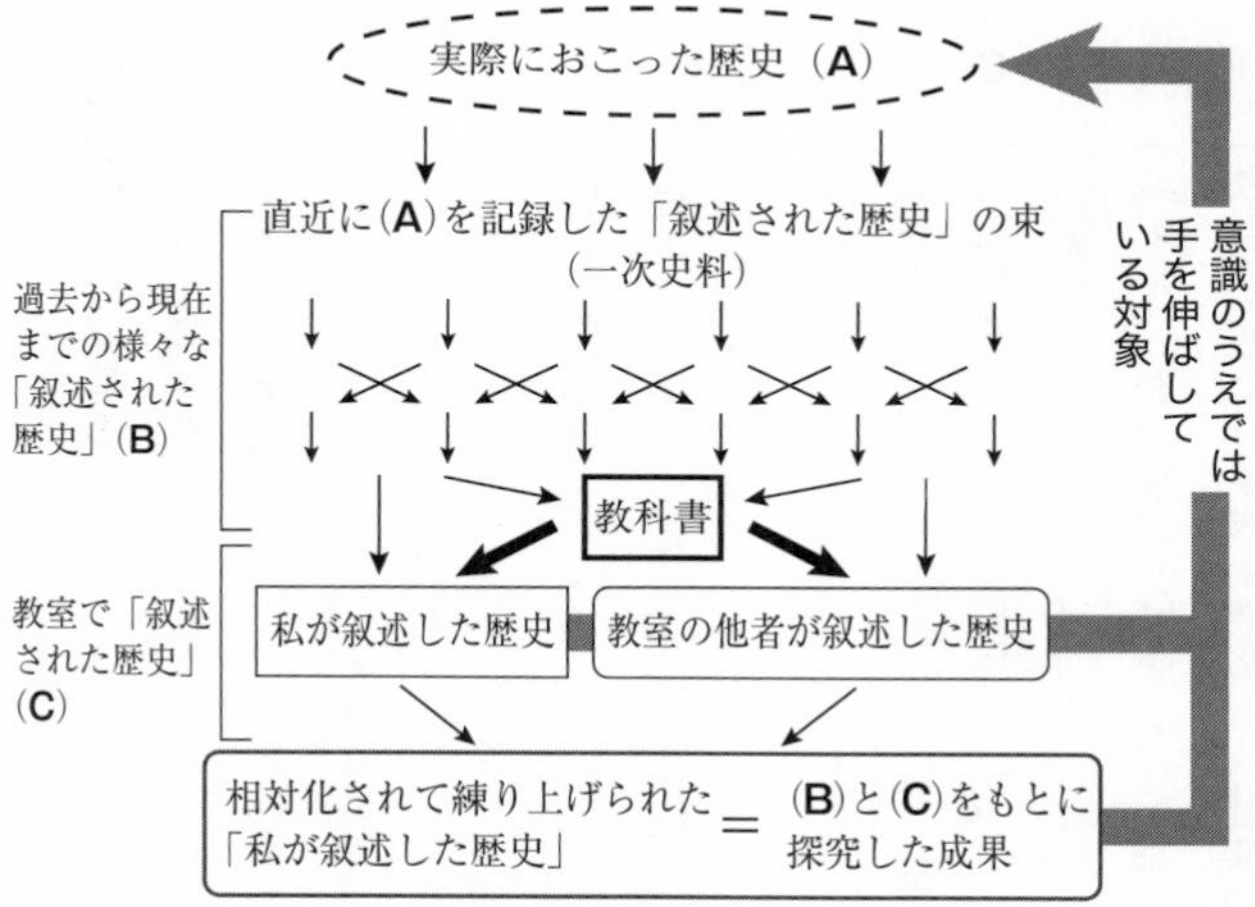

図1

を体験した人による、語るその時点での「叙述された歴史」です。第1講で私は、自分自身が経験した松本サリン事件の日々を振り返りましたが、これも体験した者としての「叙述された歴史」です。その歴史叙述には、現在生きている「いのち」からのバイアスとか再構成が、かかっていることがあります。これもまた多面的な事実のなかのある面に焦点化された叙述になっているのです。いっぽうで実際にその歴史を体験した「いのち」が発する非言語的な何かの力(あえてベンヤミンを持ち出すならば「オーラ」)をまとっているという重みも大切にすべきだと思われます。いずれにせよ、体験者の語りもまた「叙述された歴史」の特別な形であると私は考えたいと思います。

歴史実践の六層構造

以上のような課題意識をもちながら、遅塚の作業工程表を私なりに改造してみると、歴史研究を含む人々の「歴史実践」には六層構造があると言えるのではないでしょうか。次のように整理してみたいと思います。遅塚の工程の①〜③をAにまとめ、④をB・Cに分化させ、さらに⑤をD・Eに分化させ、Fを新設しています。

A【歴史実証】問題設定にもとづき、諸種の史料の記述を検討(史料批判・照合・解釈)することにより、「事実の探究」(確認・復元・推測)を行う。

B【歴史解釈】事実間の原因と結果のありよう(因果関係)やつながり(連関性・構造性)、そして比較したときに浮かび上がるありよう(類似性・相違性)について、問題設定に関わる仮説を構築することにより、「連関・構造の探究」を行う。

C【歴史批評】その歴史解釈にもとづき、より長い時間軸やより広い空間軸においてみたときの意義や、現代の世界に対する意義について、「意味の探究」を行う。

D【歴史叙述】歴史解釈や歴史批評を論理的・効果的に表現する「叙述の探究」を行う。

E【歴史対話】以上の営みについて事実立脚性と論理整合性にもとづいて検証を重ね、特に歴史実証の矛盾や歴史解釈の矛盾のうえに歴史批評や歴史叙述が行われていないか、歴史批評や歴史叙述のありかたが歴史実証・歴史解釈を歪めていないかなどを、他者との協働によって考察することにより、「検証の探究」を行う。

F　【歴史創造】歴史を参照しながら、自分の生きている位置を見定め、自分の進むべき道を選択し、自らが歴史主体として生きることにより、「行為の探究」を行う。

こうした六層のいとなみが歴史実践のプロセスを構成していくのだと思われます。歴史研究者の歴史実践は「歴史実証」から「歴史創造」までのプロセスが連続したり、循環したりする発展構造を持つのに対し、人々の世界史実践は「歴史批評」や「歴史叙述」・「歴史対話」・「歴史創造」が人生の様々な局面において非連続的に想起・実践されることになります。その際、人々の「歴史批評」や「歴史叙述」などのいとなみは、歴史家の仕事を参考にしながらも、自分がこれまで重ねてきた人生経験や世界観と相関しながら生成されるものとなるでしょう。歴史家の「歴史叙述」は人々の歴史実践のための基礎的な素材を提供するという意味で、固有の価値を持っていることは言うまでもありません。しかし人々の「歴史叙述」もまた、それがそれぞれの人生経験に深く根ざしているという意味において、固有の価値を持っています。ことに、「歴史実証」・「歴史解釈」では、歴史家の専門的なトレーニングを積んだ分析力が大きな役割を果たすのに対して、歴史をどのように意味づけるのかという「歴史批評」においては、それが実践者の世界観・人生観と深く関わるがゆえに、研究者であるかないかに関わらずすべての実践主体の固有の価値を尊重すべきであると考えます。このゆえに、先述した図書館ゼミの原則は、高校の教室の「歴史対話」の原則にもなりうるのです。①メンバーが対等の立場で対話に参加することと、②学ぶ対象にタブーをつくらないことです。この①は、「すべてのメンバーどうしと考察の対象とする人々に対して、いのちへのリスペクトを持つ」と言い換えてみたいと思います。

歴史実証から歴史解釈へ

では、歴史実践の六層構造を整理したり、歴史学習を「歴史叙述を検討する学び」ととらえたりすると、世界史の授業がどのように変わってくるのかを、新しい高校の科目「歴史総合」の「アヘン戦争」についての授業を題材にして考えてみましょう。(「歴史総合」がどのように新しい科目なのかについては後述します。)

まず教科書を読んでみます。高校の教科書では、どの出版社のものであっても、——①清朝は西洋諸国との海外貿易を広州に限定し、一八世紀にはイギリスが最大の貿易相手国となった。イギリスは貿易の自由化を清朝に求めたが拒否されていた。②イギリスでは紅茶を飲む習慣が広まっていたために、中国産の茶への需要が高く、茶の代価として銀を支払っていた。そこでイギリスはインド産のアヘンを清朝に密輸して利益を得るようになり、清朝からは大量の銀が流出してしまうようになった。③一九世紀になると清の国内でアヘン問題への関心が高まり、皇帝（道光帝）から問題への対処を任された林則徐が、イギリス商人からアヘンを没収して廃棄した。④これに反発したイギリスはアヘン戦争を起こして勝利し、五港開港や香港割譲の内容をもつ南京条約と、領事裁判権の承認と関税自主権の喪失を取り決める不平等条約を結ばせた。⑤しかしイギリスの貿易は利益をあげるに至らず、一八五六年にアロー戦争（第二次アヘン戦争）を始め、清との間にさらに多くの開港を認めさせる天津条約・北京条約を締結した。また、この条約によってアヘン貿易も公認された。——おおよそ以上のような歴史が記述されています。さらに教科書には、イギリスの蒸気船に砲撃される清の帆船の絵が両国の圧倒的な国力の差を示すように掲載されています。また授業で多く使われる副教材の図説には、イギリス国内で若きグラッドストンが、これほど理由が不正義で将来の不名誉をもたらす戦争はないと、艦隊派遣に反対する演説を行ったことが紹介されたりしています。

これらはどれも動かしがたい事実から実証された解釈（歴史）だと思われがちですが、本当にそうでしょうか。実証として私たちがまずなすべきことは、事実を記録した史料の作者がまず正しい仕事（叙述）をしているのかどうかを問うことです。先述した松本サリン事件のときの報道について言えば、河野義行さんに関する新聞報道の信用性をその事実の出所にさかのぼってチェックするということになります。よく言われるファクト・チェックであり、この場合のチェックは、歴史実証と歴史解釈の双方を対象とすることになります。アヘン戦争の教科書記述の場合は、教科書の著者が優れた歴史家であり、文部科学省の教科書検定を経ているから無条件に正しいはずなのだと言いたいところですが、ことはそう単純ではありません。図1(五七頁)で見たように、高校の教科書は、過去に存在した無数の網の目のようにつながってきた歴史叙述の束を参照して練り上げられた、共同制作としての歴史叙述です。ならばこの場合のファクト・チェックとは、かつてセニョボス/ラングロアという二人のフランスの歴史家が『歴史学研究入門』(原著一八九七)で述べたように、「史料をその要素に分析して、史料を構成するそれぞれ別のすべての主張に分断し、そのひとつひとつを個別的に検証すること」(セニョボス/ラングロア　一九八九:一二九頁)が大切になってくるでしょう。**要素分割のチェック方法**です。ちなみに、セニョボス/ラングロアは、フランス第三共和政時代の実証主義史学の代表的な歴史家であり、その古風さが後に革新的なアナール学派の人々から批判されました。しかし、当時のフランスでユダヤ系軍人ドレフュスがドイツ側のスパイであるとして逮捕され、南米ギアナ沖の悪魔島への無期禁錮という判決を受けると、セニョボスとラングロアはドレフュスの冤罪を訴える活動を行い(渡辺　二〇〇九:三八六頁)、ファクト・チェックを自分自身の「歴史創造」でも実践したのです。

ファクト・チェックのもう一つの方法は、先述したように**事実立脚性と論理整合性のチェック方法**です。でも事実に立脚しているかどうかと論理に矛盾がないかということは、実は緊密につながりあっています。これについてドイツの歴史家ベルンハイムが『歴史学入門』(原著一九〇五、改訂版一九二六)で次のように述べています。事実の確認というのは、複数の証拠によって証明されるのが望ましい。しかし、その証拠が一つだけであったとしても、「確かさに異論のない史料によって与えられ、かつ他の方法で知られている問題の事象の実際や関連に明らかに適合する場合」は、事実が確実なものだと言ってよいだろう(ベルンハイム　一九三五：二〇二頁)。——つまり事実や解釈の確からしさの根拠になるものは、信用できる史料によって根拠づけられていること(事実立脚性)と、他の事象との関係に論理的な矛盾を生じさせていないこと(論理整合性)であると、ベルンハイムは考えているわけです。事実立脚性の証拠が十分でなくても、論理整合性に照らして確かな歴史だと判断できる場合もあるというわけです。大切な視点であると言えましょう。

そこで改めて教科書の「アヘン戦争」の歴史叙述について、要素分割のチェック方法を援用してみましょう。まず、アヘンの密輸により清朝から大量の銀が流出したという要素を切り分けて考えてみます。清朝の貿易赤字の推移のグラフ(**図2**)と清朝の茶・生糸・アヘンの輸出入額のグラフ(図3)を比べてみてください。**貿易赤字の増加が、アヘンの輸入によるものだと説明できない時期が、図2のグラフのなかにはあるのではないでしょうか。**一八一〇年代半ばの貿易赤字の増大とか一八二〇年代後半の貿易赤字の増大などは、アヘン輸入の増大と関係しているとは、論理整合性に照らして、ただちには言えないということがわかります。

近年の諸研究を参照してみると、確かに広範なアヘンの密輸が行われ、それにともなう銀の流出があったことは事実ですが、その流出が清朝の経済を揺るがすほどのものであったかどうかは、明確な結論が出ているわけではないということがわかります。特に一九世紀前半の清朝でなぜ銀価が高騰して経済が混乱に陥ったかの原因については、ラテンアメリカ諸国の独立による混乱でアメリカ大陸からの良質な銀貨の新規流入が途絶したためであるという説や、清朝国内の災害などの社会混乱によるものであるという説、この時代の流出した銀を正確に把握することは当時の清朝経済の複雑さから見て極めて困難であるという見解など、様々な歴史解釈が出されています(豊岡・大橋編 二〇一九)。

ここで問題なのは、アヘンの密輸(原因)による清朝経済の混乱(結果)という一つの因果関係を、当時の清朝経済全体を決定づけたような事実であると見ているところにあります。アヘン密輸による銀流出という「部分」で清朝経済の混乱という「全体」を決定づけている点です。つまり「部分」で「全体」を描くときに、それでよい場合もあれば、この事例のように強引な

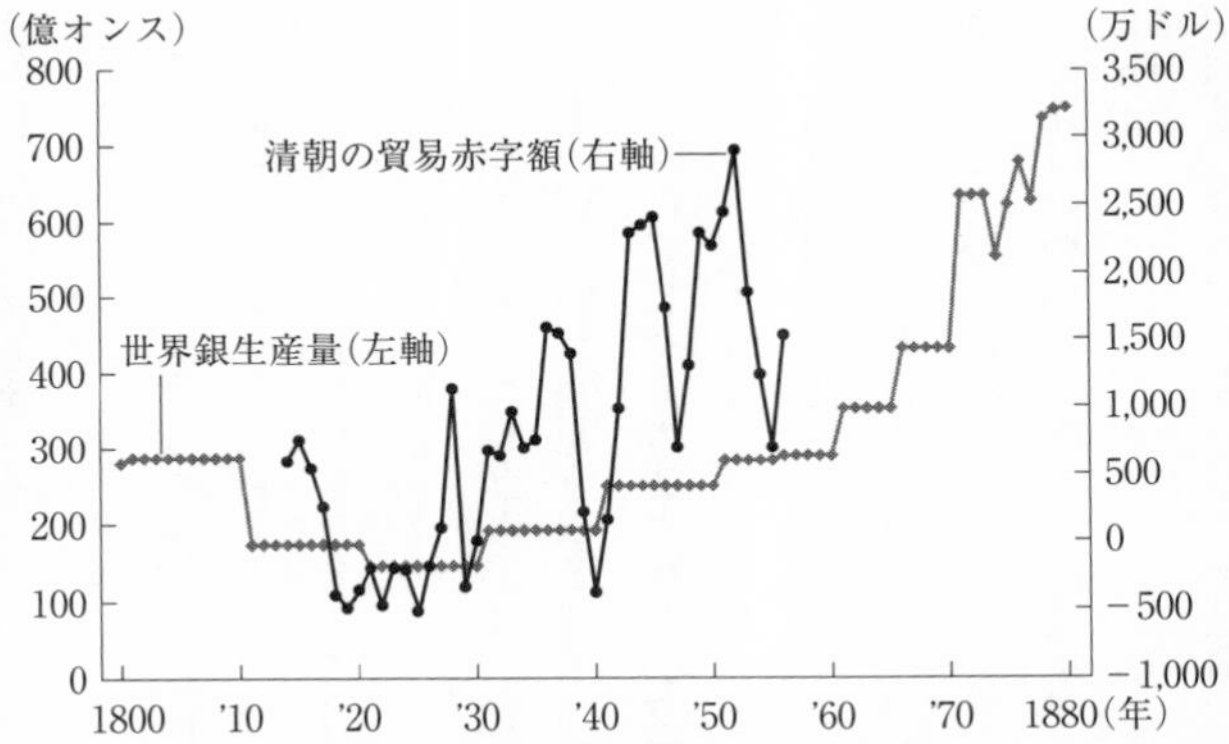

図 2　世界銀生産量と清朝の貿易赤字額(1800〜80 年)

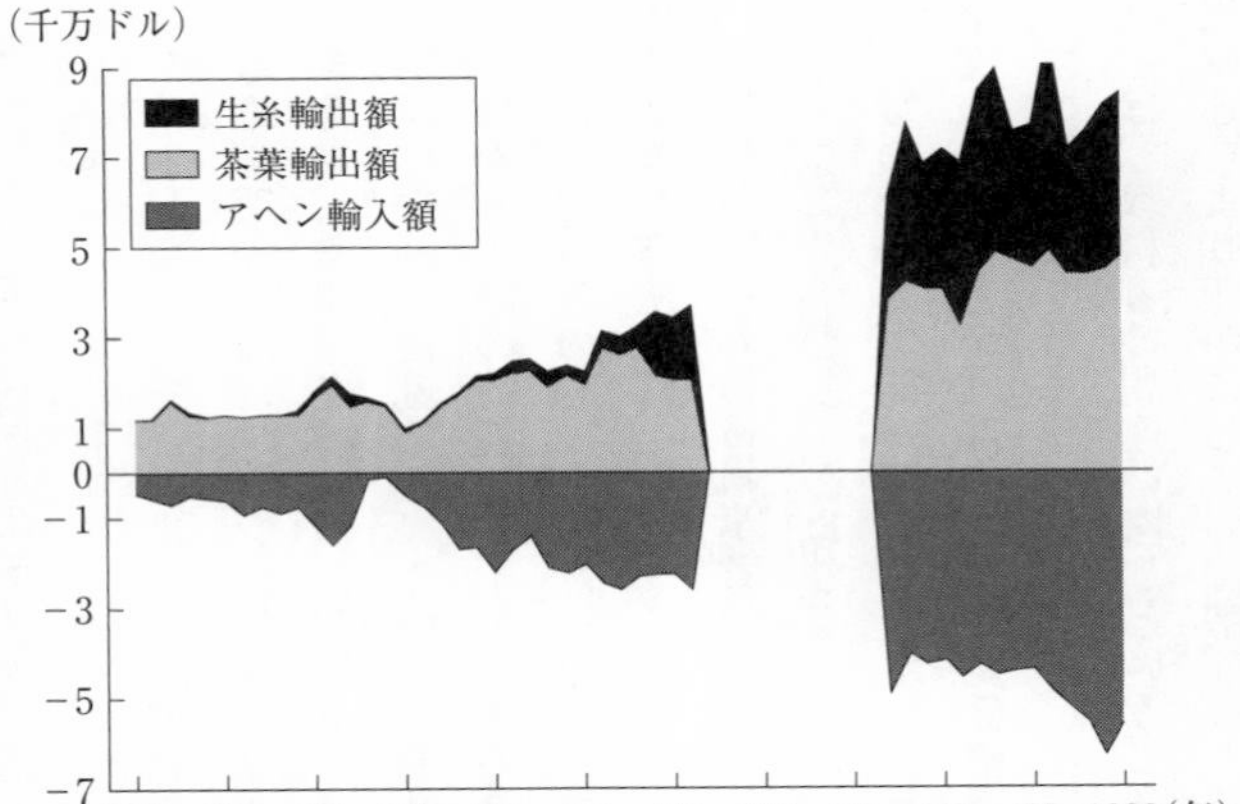

図 3　茶・生糸・アヘンの輸出入額(1825〜80 年)

豊岡康史・大橋厚子編(2019)『銀の流通と中国・東南アジア』山川出版社より

単純化になってしまう場合も出てきます。ゆえに**部分と全体関係のチェック方法**を、ファクト・チェックの三番目に掲げておきたいと思います。

ただし、アヘン問題が自国の経済に深刻なダメージを与えている諸悪の根源であると当時の人々が考えており、それによって林則徐のような開明派官僚がアヘン厳禁論に立ったという事実は、おさえておくべきです。**このことを踏まえて、教科書を書き換えてみるとどうなるでしょうか。**――一九世紀前半の清朝では銀価の高騰で経済が混乱した。この経済混乱の原因について、現在の研究では諸説あって定まっていないが、当時の清朝ではイギリスのアヘン貿易によるものだという問題意識が高まった。――と書いてみるのも一つの方法です。ファクト・チェックの四番目は、**過去と現在の文脈比較のチェック方法**と言えます。

なお、一点だけ補足をしておきますが、「歴史総合」の教科書執筆者の方々は、アヘン戦争前の清朝の経済混乱(「道光不況」などと言います)の諸学説について知っているはずなのです。しかし、教科書という歴史叙述は、限られた字数のなかで生徒が理解しやすいように明解な表現をしていかなければなりません。ゆえに事実の多面性とか、部分・全体関係や過去と現在の文脈比較についての繊細な記述が、やむをえず抑制されてしまうのです。だから教科書の歴史叙述をファクト・チェックして書き直す学びとは、教科書の間違い探しというよりは、教科書が叙述しきれていないものを見出して、歴史叙述をより豊かにしていく学びなのです。

歴史解釈から歴史批評へ

部分・全体関係のチェック方法にもう少しこだわります。歴史叙述というものは、大抵の場合、書かれざる歴史イメージをともなっています。アヘンの密輸が大きな社会問題になったと言うとき、歴史叙述を読んだ私たちのなかには、「清朝の社会の広い範囲にアヘン中毒患者がうまれた」という、書かれざる歴史イメージが形成されています。そしてこのイメージを基礎にしながら、「イギリスは、人のいのちを蝕む麻薬を密輸して、挙句にそれを没収されたことで戦争をしかけるなどと、なんと冷酷無比なことをするのか。これが帝国主義というものだ」「だから帝国主義には批判的なまなざしを持たなければならない。［または］だから帝国主義の弱肉強食に対応できるようにしなければならない」という歴史の意義づけを考える人が多いことでしょう。最後の着地点が、グラッドストンの反戦演説のような権力政治批判になるのか、いや、だからこそ富国強兵の国民国家を形成しなければならないのだという明治維新の論理になるのかは、人それぞれになっていきます。

ここでも、書かれざる歴史イメージそのもののファクト・チェックを、要素分割のチェック方法でしてみましょう。第一に、アヘンの悪影響は実際にはどのようなものだったのでしょうか。当時のイギリスではアヘンの過剰摂取に害があるという認識はありましたが、それはアルコールなどの場合と同じだと考えられていました。アヘンの成分であるモルヒネには鎮痛作用があったことから薬としても使われており、熱帯の感染症マラリアへの対策に有効であると見なされていました。生産地インドでは食べることで摂取すれば害は少ないと考えられ、清の社会では吸引による摂取でしたが、その場合でも、長い煙管で良質な精製煙膏《えんこう》から出る煙を吸うことで、害は少なくなると考えられていました(後藤 二〇〇五:一〇—一二頁)。アヘン禁止の国際規制が本格化するのは、一九二〇年代の国際連盟の活動によってのことです。また、一九世紀前半に清の社会で流通していたアヘンは高級品であり、アヘン吸引は、富裕な階級のステータス・シンボルでもありました。アヘン中毒者に必要な購入費は末端価格で一日当たり〇・一両にものぼり、当時の緑営《りょくえい》の兵士の給与が月額二両であったことと比較しても、アヘンの消費が社会に「広範に広がっていたとは考えにくい」(豊岡・大橋編 二〇一九:一五頁)ということになります。

第二に、アヘンの「密輸」ということばにも、現在の日本社会で麻薬を密輸する犯罪組織を彷彿とさせる、書かれざる歴史イメージがつきまといます。一八世紀の中国の沿海部の商業活動を見るならば、広州のみに限定された西欧諸国との海外貿易の輸入品は、福建省の廈門《アモイ》から国内各地に流通していきました。その商業活動の主な担い手は、福建省や広東省の人々でした。しかし天然の良港である廈門の商業活動に重い税がかけられると、人々は廈門を離れ、華南の小さな港や東南アジアなどを利用して貿易活動を続けます。一九世紀前半にイギリス商人からアヘンを購入したのは、小型の快速船舶に乗って沖合で小規模な貿易活動を展開する福建省・広東省の人々でした(村上　二〇一三：四九頁)。つまりイギリスとアヘンの取引をしたのは、清朝の貿易管理体制を突き崩した国内の自由貿易の担い手でした。彼らは、清朝政府からみた密輸従事者だったわけです。このように、ファクト・チェックの五番目としてあげられる、**使用概念の妥当性のチェック方法**を適用することで、歴史像をより緻密にしていくことが必要です。

では、以上に見たようなアヘンの実際の影響とか、アヘン貿易の主体を考えたときに、グラッドストンの次の反戦演説は、どう評価すればよいでしょうか。これはグラッドストンの反戦演説の歴史的な意義を考える歴史批評の問いになります。

その起源においてこれほど正義に反し、この国を恒久的な不名誉の下に置き続けることになる戦争をわたくしは知らないし、これまで聞いたこともないと、明言できる。反対意見の議員は、昨夜広東で栄光のうちに翻るイギリス国旗とその国旗が地球上のどこにおいても侮辱されることはないと知ることで鼓舞されるわれらが兵士たちの精神について雄弁に話された。(……)だが、そもそもイギリス国旗がイギリス人の精神をいつも高めることになるのはどうしてであろうか。それはイギリス国旗が常に正義の大義、圧政への反対、国民の諸権利の尊重、名誉ある通商の事業に結びついていたからこそであった。ところが今やその国旗は高貴な閣下の庇護の下で、悪名高い密貿易を保護するために掲げられているのである。（歴史学研究会編　二〇〇七：一四九頁）

生徒たちは、教科書を読んだだけの段階だと、グラッドストンの演説を正義にかなっていると共感する意見が圧倒的に多いのですが、改めてアヘンの毒性についての国際理解が十分なものではなかったことやアヘン貿易にかかわる人々の動きなどを知ると、戦争を推進したパーマストン首相側にも「正義の大義、圧政への反対、国民の諸権利の尊重、名誉ある通商の事業」の論拠があったのではないかと、当時の文脈に立って、グラッドストンの演説に距離をおく意見が出てくるでしょう。一方で、現在の視点から見て、アヘンという麻薬で大きな利益を得ようとしており、また清朝の法に従っていなかったイギリスは正義とは言えないので、これを指摘したグラッドストンはやはり優れていると思うという意見も出てくるでしょう。

ここで大切なのは、グラッドストン支持派が、単純な共感ではなく、過去と現在の文脈比較のファクト・チェックをしたうえで、それでもなおグラッドストンに学ぶべきところがあると考えているところになります。私のリプライはこうなります。

グラッドストン支持派の皆さんは、たとえ当時、アヘンが国際的に許容されていても、現在の視点から見て明らかに不正義なものは、当時にあっても不正義であると考えるという意見ですね。たとえば、一六世紀から延々と続いてきた黒人奴隷貿易について、当時は黒人奴隷制度が禁止されていなかったので、それに関わった白人たちの責任は問えないという見解が主流でした。しかし、二〇〇一年に南アフリカのダーバンで開かれた国連の「人種主義、人種差別、排外主義、および関連する不寛容に反対する世界会議」(通称ダーバン会議)は、奴隷貿易は「人道に対する罪」であると宣言して、その責任を問う見解を世界に広げました。ダーバン会議の対象になったのは、奴隷制・奴隷貿易や植民地支配の過去です。皆さんがグラッドストンを支持する視点は、麻薬貿易の過去について現在の文脈から見て責任を問うもので、ダーバン会議の視点につながっていると、私は思います。そのうえで、皆さんにさらに問いを投げかけます。**現在の視点から過去の非人道性を批判するときに、その批判の対象となる過去はいつまで遡るのでしょうか。もし補償・賠償を求めるのならば、いつまで遡るのでしょうか。**

一方、当時の文脈を重視してグラッドストンに距離をおいた皆さんに、さらに考えてほしいことがあります。一九世紀後半に日清戦争で台湾を植民地にした日本は、アヘンを漸進的に減らしていくという方針のもとでアヘン専売制度を台湾にしきました。これは莫大な利益をうみ、日本国内にも和歌山県や大阪府などを中心に米生産の裏作としてケシの花を栽培する農家が増えていきます。一九二〇年代になると日本が中国におけるアヘン密輸の担い手になっていくことになります。ケシ栽培のさかんであった時代の和歌山県の小学校には、阿片汁の採取の時期に家業を手伝うための「ケシ休み」がありました(倉橋 二〇〇五：九八頁)。そこで皆さんに問いかけます。**イギリスのアヘン貿易と日本のアヘン貿易は、同じように許容されうるものでしょうか。**

リプライの最後のところの歴史批評の問いで、アヘン戦争の歴史から二〇世紀前半の日本のアヘン貿易へと、視点が広がることになります。先述したように、一九二〇年代には国際連盟の主導により、アヘンに対する国際的な規制の努力が重ねられていき、日本のアヘン密輸は、アメリカを中心にした国際世論から強い批判を受けることになります。日本のアヘン貿易が、より毒性が高く安価なモルヒネやヘロインの形で輸出するものであり、それを注射または丸薬や吸引によって摂取する中毒患者が増えたことも問題でした。

さらに一九三〇年代になると、日本は満洲・冀東《きとう》政権を利用してアヘンの製造・密売を展開したため、中国の人々はこれを中華民族と中華民国を滅ぼそうとする「滅種亡国」政策であると見て、抗日意識を高めていきました(笠原 二〇二二：一五二頁)。日本のアヘン貿易は、アジア・太平洋戦争後の極東軍事裁判で「平和に対する罪」として訴追の対象になっていきます。アヘン貿易とは「アヘン戦争」にかかわる問題としか考えていない歴史認識は、部分と全体関係のチェック方法によって、改めて日本のアヘン貿易の意味を問い直す必要性に気づくことになります。

歴史批評から歴史叙述へ

以上をまとめると、歴史の事実と事実の間の解釈(歴史解釈)とそれがもつ意義の考察(歴史批評)は、図1(五九頁)で示したように、過去の様々な歴史叙述の束を吟味することで行われます。その際、歴史叙述の束は迷路のような網の目になっていると言えます。深く考えるためには、生徒が思わず前のめりになって考えたくなるような問いかけを教室で行い、その際にいくつかのファクト・チェックの方法に自覚的になることで日常生活に応用できる思考を経験することが大切になってくると私は考えています。問いかけに対して生徒たちが自分の答えをもって、それを発言したり書いたりしたならば、それが歴史叙述です。その場合、歴史を参考にしながら「今、ここで」自分がどのように生きるのかという歴史創造の意識につなげるためには、対象となる歴史が、日本列島の歴史とか自分の暮らしている地域の歴史との間で、どのようなつながりや比較を見出せるのかという視点が有効になります。その意味で、歴史を学ぶとは、日本も含んだ世界史を学ぶことであり、他国史と日本史は同時並行的に、つなぎ、比べながら、学んでいくべきなのだと思います。だからこそ、明治維新以降の日本の後期中等教育ではじめて他国史と日本史を統合した新科目「歴史総合」が二〇二二年度からスタートしたということは、画期的なことなのです。

歴史叙述には「世界と向き合う世界史」と「世界のつながりを考える世界史」の二つがあり、後者には、歴史類型論・歴史構造論・歴史連関分析の三つのタイプがあるという先の議論につなげるならば、グラッドストンの反戦演説の意義についての生徒の考察は、「世界と向き合う世界史」でしょうし、過去の不正義の批判はいつまでの歴史を対象とするのかを考えるならば、「世界のつながりを考える世界史」の歴史連関分析になるでしょう。イギリスのアヘン貿易と日本のそれとの比較考察も後者です。これに対して、「世界のつながりを考える世界史」の歴史類型論や歴史構造論を考えるような問いは、けっこう難しいように見えます。だったらやめておこう、というわけにはいきません。なぜならば、この点が、書かれざる歴史イメージに深く関わっているからです。

教科書のアヘン戦争に関する歴史叙述を学ぶ高校生は、次のような書かれざる歴史イメージをもちます。すなわち、「一九世紀のアヘン密輸によって銀が大量に流出し、さらには二度にわたるイギリスとの戦争の敗北によって多くの開港をした清朝経済は、イギリスの市場になるしかなかった」という歴史像です。これについて、新たに研究書を検討しながら考えてみます。

第一に、清朝の銀の流入出量の推移を**表1**の大きなスパンで見てみます。流入出を正確に把握することは難しいのですが、それでもそれを試みている研究がいくつかあり、その一例です。**この表を見て「あれ、変だな」と思うことは何でしょうか。**アヘン戦争・アロー戦争に敗北したあとなのに、清朝に銀の流入が戻ってきているわけです。理由は、ラテンアメリカ諸国での銀の増産や、欧米諸国が金本位制を導入したことで銀の価値が下がったことなどにより、比較的高値で銀が流通している清朝に、世界から銀が持ち込まれることになったのでした(豊岡・大橋編　二〇一九：五〇―五一頁)。ゆえに清朝からの銀の流出は、一九世紀前半から半ばにおける一時的な現象であったことになります。歴史構造論の分析を少し入れるだけで、実際の歴史が書かれざるイメージのように単純なものではないということがわかります。

表1　清朝中国の銀流入出量

（単位：100万ペソ）

年	総流入量	総流出量
1721-40	68	
1752-1800	105	
1808-56		384
1857-66	187	
1868-86	504	

豊岡康史・大橋厚子編(2019)『銀の流通と中国・東南アジア』山川出版社より

第二に、清朝の貿易管理体制を代表例にして、皇帝の専制が社会の隅々まで統制していたかのように思われがちですが、むしろ清朝国内の社会経済は規制がなく、自由放任で激しい競争社会であったという特徴に注目してみましょう。その自由放任とは、欧米社会のような権利として保障された自由ではなく、実態としての自由放任でした。本シリーズの第一巻『世界史の考え方』(二〇二二)のなかで岸本美緒がこう論じています。

清朝の経済のあり方を考えてみると、一つの特徴として、かなり流動性が高くてリスクの大きな社会であることが挙げられます。たとえば、資本を出し合ってつくる会社的な組織も確かにあるんですけれども、それが大きくならない。つまり、企業は、資本の蓄積はそれほどせずに、逆に資本の回転をできるだけ速くして、むしろ社会的な分業によって急速に利益を上げていこうとする。例として、景徳鎮の陶器を作る過程などが挙げられます。(……)そこでは非常に分業が発達していて、ろくろを回す人とか、絵付けをする人とか、(……)何百という業種がある。そういうものが一つの企業の中にまとまっていないで、一つ一つみな違う企業なのです。(小川・成田編 二〇二二:六四―六五頁)

この景徳鎮の光景と似た経済活動を、今回のアヘン戦争の学習で見出すとすれば、どこでしょうか。ここでアヘンの私貿易に携わった無数の小型船舶を駆使する福建省・広東省の人々の光景を振り返ることができます。このような小規模な福建・広東船の人々は、仲介者を通しているさらに小規模な無数の現地商人にアヘンを売却していきます。仲介者はそれぞれ独立しているので、福建・広東船の人々は現地商人の情報を詳しくは知りません。このような細かく分節化した社会にやってくる外国人は、アヘン貿易でいえば福建・広東船のような一番外側の部分しか接触できないために、清朝内部の市場の情報を詳細に把握できず、これを支配することができないのでした。つまり、経済活動の主体が小規模で、幾重にもそれらが接続しており、全体を把握している存在がいないという「零細な中国の経済のあり方」が、欧米の経済活動が入ろうとしたときに「多重防護壁の働き」をしたのです(村上　二〇一三：四五五頁)。

このような清朝の経済の特徴を(イギリス商人・福建船・仲介者・現地商人の要素を入れて)図示してみましょう。…というように考えていくと、生徒が処理できないような難しい問いではなく、学びの流れのなかで歴史類型論タイプの歴史叙述ができるように思います。このことは、**表2**にあるように、一九世紀末から二〇世紀前半にかけて中国に設立した欧米系の紡績会社のほとんどが利益を上げられずにゼロ配当を続け、倒産または売却されていったこと(久保・加島・木越　二〇一六：二六頁)にもつながります。世界史を弱肉強食の歴史に単純化するのではなく、それぞれの特徴ある政治文化や社会経済の形をもった地域が相互接触をしながら展開してきた歴史であるととらえるために、あえて歴史類型論にも目配りをしていきたいと私は考えます。なお、**アメリカが日本を開国させたとき、日本には「多重防護壁」にあたるようなものはなかったのだろうか**、ということを投げかけておくと、この問題が日本の歴史につなが

表2　紡績会社配当率推移(1896〜1909年)

(単位：%)

年	怡和《いわ》	老公茂	瑞記	鴻源	協隆	大生
1896	—	—	—	—	—	8
97	7	0	4	3	—	8
98	0	4	0	0	0	8
99	0	0	0	0	0	8
1900	0	0	0	0	0	8
01	0	0	0	0	0	15
02	0	0	0	0	—	21
03	8	0	0	0	—	29
04	0	0	0	0	—	31
05	16	8	5	0	—	21
06	20	8	10	8	—	31
07	5	0	0	0	—	10
08	10	4	0	0	—	16
09	22	6	7	10	—	18

注：怡和(イギリス資本)，老公茂(イギリス資本)，瑞記(ドイツ資本)，鴻源(アメリカ資本)，協隆(ドイツ資本)，大生(中国資本).

久保亨・加島潤・木越義則(2016)『統計でみる中国近現代経済史』東京大学出版会より

ってくるでしょう。

アヘンの密輸という歴史を多角的に掘り下げてみようとしたわけですが、他にも歴史解釈や歴史批評を深める問いかけの方向性は様々にあるでしょう。戦争の過程でイギリス側に協力した「漢奸《かんかん》」が多く見られたことが清朝の敗因の一つであったことから、戦後の清朝では「漢奸」をうみださないような国づくりが目指されます。曽国藩や李鴻章による私設軍隊(郷勇)は、兵士の一体感をもった軍隊を作る試みでした。しかし、裏切り者を「漢奸」と非難する風潮は、国内の特定の人々の存在を全否定する見方をうみます。辛亥革命で清朝が打倒されると、今度は清朝を支えた曽国藩たちが「漢奸」と非難されていきました。ゆえに、**漢奸を非難する考え方が広まることは、どのようなメリットとデメリットを中国社会にもたらしただろうか**という問いかけもあるでしょう。

現代的な諸課題につながる歴史批評の問いとすると、――**「通常の貿易」として行っていることが、実は相手国に負の影響を与えているということに、現代の私たちがあまり気づいていないという事例はないだろうか。この事例とイギリスのアヘン密輸は、どこが共通していてどこが異なっているだろうか**――という問いを考えてみます。生徒たちに調べさせると色々な事例が出てくるはずです。たとえば、廃プラスチックの輸出をみると、二〇一七年の日本は世界第三位の輸出大国で、その五二・三％（約七五万トン）は中国に輸出されていました。しかしその年度末に中国が生活由来の廃プラスチックの輸入を禁止したので、その後の日本は、輸出量の抑制を試みつつも、輸出先をタイ、マレーシア、ベトナムなどの東南アジア諸国に代えています（「ジェトロ地域・分析レポート」による）。さらに、日本を含む経済先進国の廃プラスチックの新たな輸出先になってきたのがアフリカ諸国です。近年では一年間で一〇億トンもの廃プラスチックが、世界中からアフリカ諸国に運ばれているという報道もあります（グリーンピースのＨＰによる）。これは平等（対等）な立場どうしの貿易なのでしょうか、格差を前提にした貿易なのでしょうか、これと比較してみるとアヘン貿易のときはどうだったのでしょうか。「平等と格差」の今日的な課題を批評することができるテーマになるはずです。

歴史叙述から歴史対話、歴史創造へ

互いの歴史叙述を交錯させて、他者の歴史叙述を参考にして自分の叙述を練り上げていくとき、それは「歴史対話」をしています。前述したことを繰り返しますが、私が教室の歴史対話のルールとしているのは、①対話の対象にタブーを作らないこと、②対話に参加するメンバーは全員が(歴史の人物も含めて)対等であり、相互にいのちをリスペクトしあうこと、③自分の見えていない事実・解釈・意義付けに気づけるかもしれないという、「自分を相対化する」意志を大切にすること、です。過去の歴史叙述の膨大な網の目のどこを参照したかによって自分自身の歴史叙述はかなり変わってきます。だから幾重にも「自分を相対化する」意志をもつことがとても大切なのです。そのために、生徒どうしが歴史対話をすることもあれば、生徒の叙述に教師がコメントをつける歴史対話もあるでしょう。自分の内面で自分の叙述を検討して描き直す自己内対話もあるのだと思います。

以上の歴史の学びが、生徒たちの生活のなかで何らかの行動につながったのならば、それは「歴史創造」をしたことになります。アヘン貿易から廃プラスチック貿易に思いをいたし、アフリカの人々に関心を寄せるようになってフェアトレードの買い物をしたというならば、それも「歴史創造」です。ただし、高校の授業のなかで行うのは、基本的には歴史対話までのこと。生徒たちの歴史創造は、それぞれの未来が舞台なのです。

これまで述べてきたことをまとめると、歴史実践というものは、歴史実証・歴史解釈・歴史批評・歴史叙述・歴史対話・歴史創造といういとなみの総体であり、それは研究者だけのものではなくて、高校生を含むすべての人々が何らかの形で実践していると言えます。歴史を学ぶということは、過去から現在までの様々な「叙述された歴史」を検討しながら、「私が叙述する歴史」(歴史認識)を相対化して練り上げていくことです。そしてそのなかから、歴史について学ぶときに大切にしておくべき思考方法・スタンスは何かということを心に刻むことができれば、別の言い方をすると、「歴史の学び方を学ぶ」ことができれば、それ自体が「歴史主体の成長」という「歴史創造」になるのではないでしょうか。

以上が私の考える「歴史の学び方を学ぶ」構想です。今まで言及してきた著作以外にも、すぐれた「歴史の学び方」論はいくつもあります。特に桃木至朗『市民のための歴史学』(二〇二二)は、歴史学の重要なテーマを体系的に論じながら「歴史の基本公式の例」という形で「歴史の学び方」を提示しており、歴史教育がまず参照すべき文献です。また、南塚信吾・小谷汪《こたにひろ》之編《ゆき》『歴史的に考えるとはどういうことか』(二〇一九)は、「歴史像の形成過程」を分析しながら、「歴史的に考える」ための方法を明晰に論じています。さらに、小田中直樹『歴史学のトリセツ』(二〇二二)は、魅力的な語り口で歴史学の歩みと課題を分析し、歴史学の「新しいパラダイム」を展望しています。「歴史の学び方」自体が、重層的な歴史叙述の束なのです。

2　世界史という歴史実践の再検討

新科目「歴史総合」がもたらす世界史教育の新たな可能性

世界史教育とは、教師と生徒が主体的に「私が叙述する歴史」を練り上げていく歴史実践であるという私の考えは、これまでの世界史教育が膨大な用語の暗記を「基礎教養の形成」という理念のもとで生徒たちに強いてきたことへの反省に根差しています。

高等学校の地理歴史科では二〇二二年度から必履修科目として新科目「歴史総合」(2単位)が、これまでの科目をリニューアルした「世界史探究・日本史探究・地理探究」(各3単位の選択科目)とともにスタートしました。一九九〇年代からグローバル化の時代に対応して世界史をすべての高校生が学ぶようになったことに対して、知識量の多い世界史を忌避して日本史・地理を学ばせる未履修問題や、日本史を独自に必修にする動きが東京都や神奈川県で広がるなか、これまでの世界史と日本史の近現代史部分を総合して学ぶ「歴史総合」の新設に至ったのでした。こうしてみると「歴史総合」は政治的な折衷案の産物のように見えますが、私はこの新科目にもっと積極的な歴史実践の可能性を見出したいと思っています。それはこれまでの世界史教育がはまってきた罠から脱出できるかもしれないという可能性です。

世界史と日本史の分離と方法学習の欠落

そもそも高校では、外国史としての世界史と日本史を分けて考えるという思考を自明のものとしてきました。この思考パターンは、明治維新期の近代の学校制度に由来しています。明治政府は、一八七二年に学制を発布し、初の歴史教科書『史略』をつくったのですが、二年後に万国史(世界史)部分を分けた『萬國史略』、さらにその翌年に日本史部分の『日本史略』を発行しました。最初の段階から世界史と日本史が分かれていたのです。世界史は天地創造の神話から始まる一方で、日本史は記紀神話を学習し、両者がどのように整合性ある論理を作れるのかは問われませんでした。世界史は西洋の歴史を中心に人類の発達進歩を学習し、日本史のほうは愛国心の涵養を目的として内容が統制された学習が広がっていきました。

もうひとつ、世界史と日本史の分離には教育目的以外の要因もありました。それは、人類の発達進歩を描く世界史の教科書の中に、日本が登場する余地がないという歴史意識でした。一八八七年に発行された天野為之(一八六一—一九三八)の『萬國歴史』という教科書があります。経済学者でのちに早稲田大学の学長になる天野は、序文で、「若《も》シ萬國史ノ中ニ赫々《かくかく》トシテ日本ノ國名ヲ輝カサントナラハ日本ノ人民ヲシテ世界ニ對シテ大關係アル人民トナラシムルノ外ナシ」(天野 一八八七：六頁)と書いています。世界史に日本史を書き込もうとすれば、それにふさわしい世界規模の業績を日本人があげることが必要なのだという悲痛な叫びでした。

日清戦争後の一九〇二年に、日本と特に関係の深い中国、朝鮮、インドなどを詳細に学ぶ必要があるという理由で、文部省は中学校の教授要目において、「東洋歴史」と「西洋歴史」を分離しました。世界史が、日本の近代化のモデルとなる西洋の歴史と、日本が近代化を指導する東洋の歴史に分割されたのです。一九〇四年には(東京)帝国大学が史学科を国史学・支那史学(のち東洋史学に改称)・西洋史学の三専修科制に分割して、アカデミズムにおいても日本特有の三科分立体制が全国の大学に広がっていきました。

このような世界史と日本史の分離は、日本史の学習内容を極端に歪めることになります。教授内容の統制は、文部省による上からのしめつけだけでなく、マスメディアによる下からの突き上げが政治と結びつく形でも強化されていきました。一九一一年には、読売新聞が南北朝を対等に扱っていると小学校の国定教科書を批判し、これが野党や国粋主義団体による政府批判につながりました。編集責任者であった喜田《きた》貞吉《さだきち》は、東京帝国大学を休職処分になっています。研究者には、人々に伝える「教育」次元の歴史像を、自らの「研究」から切り離して考える思考習慣が形成されていきます。

子どもたちにはこの程度の歴史像を教え込めばいいのだと、教室でのファクト・チェックを軽視する姿勢でした。何を覚えさせるかが第一であり、歴史を正確にとらえるためにどのように学んでいくかについては、関心が向けられてこなかったのです。

アジア・太平洋戦争の敗戦後の一九四九年、これまでの西洋史と東洋史が高校の教育課程上で統合されて、「世界史」が船出をしました。これまでの三科分立が、高校の歴史教育では世界史と日本史の二科分立となりました。戦後の世界史教育ではファクト・チェックが確かに重視されるようになりましたが、それは生徒ではなく、主には教科書執筆者や歴史教師が行うものでした。よって、意図せずして戦前の学習スタイルが、現代の世界史教育にも刻印を残すことになります。私の考える世界史教育の第一の罠は、ファクト・チェックを含め、どう歴史を考えるのかの方法学習を欠いてきたことです。

ナショナリズムを鼓吹する世界史

日本史が愛国心涵養の手段となっていったとき、世界史もまた同じ道をたどりました。明治期の西洋史・東洋史の分化を再び「世界史」にまとめていく試みが、大正期に入ると歴史教育の分野において行われます。それは世界史のなかに日本の国名を輝かせる事件がないと嘆いた明治期の人々の問題意識を、日清・日露戦争と第一次世界大戦が解決したように思われたからでした。

大正期の「世界史」教育の中心となったのは、東京高等師範学校教授の斎藤斐章《さいとうひしょう》(一八六七―一九四四)でした。彼が中心となって設立した全国中等学校地理歴史科教員協議会は、文部大臣の歴史教育改革についての諮問に対し、東洋史・西洋史は統合するとともに簡略にして「世界史」にすべきであるという提言を出しました。一九二四年に共著の形で『中等世界史要』を出版した斎藤は、一九二六年に単著として『實業教育外國史』を完成させました。わずか一五七頁のボリュームに農耕牧畜の開始から第一次世界大戦後の世界の情勢までの歴史を簡潔にまとめたもので、古代・中世・近代・現代(斎藤の用語で言えば上古・中古・近古・近世)という時代区分の中に、東洋史と西洋史、さらにはなんと日本史が統合されていました。

斎藤の教科書は、各時代の末尾に「我が國の文化的地位」と題した歴史叙述をおき、文化交渉史や比較文明史の視点から「世界史のなかの日本」を位置付けたのです。古代史で言えば、漢学や仏教の伝来による日本文明の進歩が強調されますし、中世史で言えば、室町時代の末期に西欧文明が日本に伝来したことが注目されています。いっぽう、宗教改革から合衆国の独立までが扱われる近代史においては、「寛永の鎖国」以降の日本が「全く世界の事情に通ぜず」その国際的地位が「地平線下にあつた」と批評されています。

しかし、斎藤の教科書は、現代史から突如として、日本が、日英同盟の締結や日露戦争、第一次世界大戦への参戦など、世界史を動かす主体として本文中に登場するようになります。そして本文の最後には「吾人《ごじん》の覚悟」という見出しがおかれ、日本がパリ平和会議において「五大強国の一」に数えられた現在、立憲政治の運用の経験も浅く、商業・学術ともにまだまだ課題が多いのだが、「東西文明を融合して渾然たる世界文明を建設するには我が國が最も適当の位置に立つてゐる」と論じました（斎藤　一九二六：一五四―一五五頁）。

つまり、斎藤斐章は、世界史は西洋文明の国家が覇権をとった歴史であるという明治期以来のフレームを受け継ぎつつ、日本はその権力政治に参入できて、東西融合の新しい世界文明を創造する中心になれる可能性があると、日本中心の「世界のつながりを考える世界史」を構想したのです。これまでの各国史の集合としての世界史が、それぞれの国民が主語（主人公）になるようなものだったとすれば、斎藤の世界史は、日本人が主語群における第一の主語となるような歴史叙述になったと言えます。こうして世界史は、ナショナリズムを鼓吹する自国史（ナショナル・ヒストリー）になりました。アジア・太平洋戦争の時代になると、京都学派の鈴木《すずき》成高《しげたか》らが「世界史の哲学」を説き、世界史が日本の戦争を肯定する論理を提供していきます。ナショナリズムは、たえず他者を排撃する偏狭性を内に秘めることになり、その論理づけを世界史が行ったのでした。

こうした日本中心の「世界のつながりを考える世界史」は、戦後の世界史教育にも異なった形で続いていきます。たとえば、戦後の世界史教育に大きな影響を与えた著作に、上原専禄《うえはらせんろく》（一八九九―一九七五）が編集した『日本国民の世界史』（一九六〇）があります。これは二度にわたって教科書検定に不合格になった世界史教科書を一般市民向けの単行本として出版したものであり、著者は上原専禄・江口朴郎《えぐちぼくろう》・太田秀通・久坂三郎・西嶋定生《にしじまさだお》・野原四郎・吉田悟郎といった各分野の先導者たちでした。彼らの世界史が斬新であったのは、戦前の斎藤斐章のように、前近代の世界史叙述においても、「東アジア文明圏」という地域設定をして日本史を組み込んだところにあります。そして、近現代の世界史を西洋文明の圧倒的な優位のもとに描くことも、戦前の斎藤斐章の世界史と共通していました。ただし、斎藤の場合は、第一次世界大戦の参戦にともなう列強化が日本の西洋化の契機でしたが、上原たちは、西洋近代国家がひきおこした社会的抑圧や植民地支配に対して世界の人々が「平和」や「解放」・「独立」を目指して立ち向かうことを現代の世界史の課題であると考え、その意味で日本は戦後改革で日本国憲法をもったことと、日米安保体制下で民族の独立を脅かされていることにおいて、同じ世界史的課題に直面していると考えました。つまり上原は、日本が直面する課題を世界の抑圧されてきた諸民族の課題につなげることで、世界史が内にもつナショナリズムの偏狭さを解きほぐそうとしていました。

しかしながら、上原たちの先鋭な課題意識は、文部省の教科書検定によって学校教育から排除されました。また、その後の日本の多くの世界史教科書は、上原の課題意識とは異なり、戦後改革と高度経済成長をもって日本が「先進国」となったことと、現代においては他の先進国と同様の諸課題に直面していることを見つめるナショナル・ヒストリーとしての世界史を提供してきました。

よって、私の考える世界史教育の罠の第二は、世界史と日本史を分離しているように見えながら、実は世界史がナショナル・ヒストリー(日本中心の見方)にすぎないものであり、勝者の歴史、または悩める勝者の歴史になってきたということです。もちろん歴史実践は、「私」という主体の行為ですから、日本の高校の教室で学ぶ世界史が、私の集合体としての「日本国民にとっての世界史」になるという側面はあるでしょう。しかし同時にそれが一つの歴史認識にすぎないものであることを自覚し、他の歴史認識と対話をしながら自分の世界史の偏狭さを何度も相対化し、練り上げていくことが大切なのでしょう。言ってみれば、世界史は、世界史が日本史を包み込むときにスパークがおこり、それによって世界史と日本史の双方が変容しながら、両者が総合されていくような歴史実践になるのだと思われます。

歴史の系統学習の知識の教え込み

世界史教育の罠の第三は、系統学習の知識の教え込み、暗記主義が続いてきたことです。これは第一の罠としてあげた方法学習の欠落と表裏の関係になります。

ここで注意しておきたいのは、系統学習の知識の教え込みと暗記主義は、根底のところでは同じなのですが、脱暗記主義を標榜しながら、実は知識の教え込みをしているにすぎないケースがしばしば繰り返されてきた点です。この場合の脱暗記主義は、脱講義型授業に短絡化されています。

たとえば、先述した大正期の歴史教育学者・斎藤斐章は、生徒を受け身にする知識詰込みの講義形式は排斥すべきものであり、教師が発問をして生徒が自ら活動するような授業にしなければならないと説いています。教師がしゃべり続けるだけでいいのか、ひたすら板書するだけでいいのかと、斎藤は現状を批判します。ドイツの授業を見ていると教師の質問に生徒がすぐ答えるのに対し、日本では生徒が問いに答えるのに結構な時間がかかってしまう点にも、斎藤は問題意識をもっていました。まるで現代の歴史教育改革論に通じるような内容なのです。しかしながら同時に斎藤は、子どもたちに教育する歴史像を、日本が「開闢《かいびゃく》以來曾《か》つて汚されたることなき金甌無缺《きんおうむけつ》の國體《こくたい》」であることに、極端に理念化していました。金甌無欠とは、欠けたところのない完璧な金の瓶《かめ》のことで、外国から攻められたことのない強い国家・君主を形容することばです。斎藤にとっては、問いを投げかけながら授業をするとしても、生徒が習得すべき歴史認識はあらかじめ枠にはめられているので、結局のところ歴史の授業は教師の教導に終始することになります（斎藤　一九一三）。生徒の主体性を育むことは、その教導をしやすくするための仕掛けなのでした。

新教科「世界史」が出発した戦後初期にはアメリカの経験主義の影響を強く受けた課題解決学習が志向されましたが、一九五八年の学習指導要領で系統主義への転換が打ち出され、以降の日本の教育の基軸となりました。一九六〇年代以降、マルクス主義など「世界史の基本法則」を構想する歴史研究が衰退し、歴史学の実証性の精度をあげた専門分化がいちじるしく進行しました。細分化された歴史学の成果は、教科書本文の追加とかコラムの増設に反映され、各国史の寄せ集めのフレームを維持したままボリュームだけが増え続けたのです。系統的に知識を習得することは、大学入試のためにも必須になり、世界史教科書は改訂のたびごとに記載内容を増やし、それがまた暗記主義を強化していきました。戦後初期の世界史教科書の索引に収録された用語が約一三〇〇語程度であったのに対し、半世紀後の二〇〇〇年代初頭の同じ出版社の世界史教科書になると、二倍をはるかに超える約三五〇〇語になっていました。多くの世界史教師が、人名や国名・事件名を記入する穴埋めプリントを作成し、世界史の系統的知識を教えることに精一杯になっていきます。

一方で、「歴史総合」の新設を定めた二〇一八年の高等学校学習指導要領は、「どのように学ぶか」を「主体的・対話的で深い学び」によって自覚的に進めていくべきことをうたいました。

授業改善については二〇二二年の施行を待たずに先行実施することが全国の高校に促され、歴史教師の間では、授業のなかで主体的に考えたり対話したりする「問い」の大切さが自覚されるようになってきました。しかし、多くの全国の授業実践を見てきた私の印象では、「問い」をどのように設定するかについて、それを歴史学の方法や課題解決の切実性と関連付けるよりも、単元を代表する「大きな問い(メイン・クエスチョン)」と、個別の歴史事象を分析するときの「小さな問い(サブ・クエスチョン)」に形式的に区別して精緻化することに重点がおかれがちです。しかもその「問い」は、教科書記述に答えが出ているようなものが多く、生徒にとっては文章を読み取る力が問われているだけにすぎないと思われることが少なくありません。生徒からすれば、「先生が最初から教えてくれた方が、効率が良いのに!」と思えてきます。生徒が自分自身で歴史解釈や歴史批評をする余地がなく、枠のなかであらかじめ答えは決まっているからです。対話が教導の仕掛けにすぎない点が戦前の斎藤と同じです。「問いの形式化」現象だと私は考えています。

よしんば唯一解の定まらない「問い」を生徒同士でディスカッションするようなときであっても、教師の「いろいろな意見があって考えさせられるよね」という安易なまとめで肩透かしをされることが多いのが現実です。一人一台端末のソフトを使って、生徒の発言がとても効率的に集約されるようになってきましたが、それでも議論の「答え」の妥当性を判断する基準があいまいなままで、議論は重ねるけれども真理からは遠ざかるように感じます。最終的に「人それぞれ」だけで片づけられてしまうのです。ウィーン会議の風刺画にならえば、「授業の議論は踊る、されど進まず」と言えましょう。そして最も論争的な歴史認識の「問い」は、忌避されがちなままなのです。

「主体的・対話的で深い学び」が目指されているのですが、受け身でないから退屈しないというメリットはあるものの、深い学びには至っておらず、効率性から見るならば一方通行の「名講義」の方がよいと生徒が考えているのが、現代の世界史教育が直面している系統主義の教え込みと暗記主義の罠です。この場合、歴史学の成果(系統性)が教科書記述の浅いところでしかとらえられていないことが問題であり、むしろ系統学習を徹底して掘り下げたところに課題解決学習への道筋が見えてくるのだろうと私は考えています。

羽仁五郎の「世界の動向を自分の見識で考えるための歴史教育」

以上のような世界史教育の罠を乗り越える学びを「歴史総合」は創り出さねばなりません。果たしてそのようなことが可能なのでしょうか。

第2講の1では、遅塚忠躬・保苅実という二人の研究を参照系として、歴史実践の六層構造とファクト・チェックの方法に着目して世界史の「問い」を作ってみました。そこでさらに別の二人の歴史実践を参照系にして、「問い」の作り方を検討してみたいと思います。

一人目は、斎藤斐章のような歴史教育の目的を徳性の涵養におく風潮を強く批判した歴史家、羽仁五郎《はにごろう》（一九〇一－八三）です。羽仁は、治安維持法で逮捕されてマルクス主義からの転向表明を強いられ、在野の立場で歴史を研究していました。「金甌無欠の国体」を信じずに弾圧された側にいたのです。羽仁は論文「歴史および歴史科学」（一九四〇）のなかで、歴史という学問が政治や道徳に従属している状態は、歴史という学問のためにもよくないし、政治や道徳にとっても幸せな状態ではないと述べ、「批判なくんば、学問なし。批判なくんば、歴史なし」と強調しました。――現状では、歴史家が史料批判をして歴史的事実と考えたことを民衆に教え込んでいる。小学校でも中学校、高校でも子どもたちがそれをありがたく拝聴するだけの学びになっていることが、「他の学科よりも歴史がおもしろくなかった」理由なのだ。歴史学という学問は、史料の批判だけでなく、「過去の歴史的事実の批判」を精密に行い、それを「現代の批判的理解」を行うことにつなげていくべきものである。そして「一般教育における歴史教育の目的は、国民が新聞を自分で読むことができ、現代のわが国および世界の動向を自分の見識で考えてみることができるようにすることにある」。――こう述べて、羽仁は、歴史を学ぶ側の批判的精神に立脚した主体性を育てることの大切さを論じました（羽仁　一九八六：四一－四五頁、六九－七六頁）。

その際、羽仁が繰り返し引用したのが前述したセニョボス／ラングロアの『歴史学研究入門』(六四頁参照)でした。また、羽仁は、専門家が史料批判をすればそれだけで歴史が書けるわけではないのであり、「浅薄な人生経験しかもたぬ人に、深刻な歴史的体験がわかるはずはなく、深い歴史的批判などができるはずがなく、深い歴史が書けるはずがない」(羽仁　一九八六：七三頁)と述べ、批判的に歴史を見つめる営みについて、研究者と民衆のまなざしの対等性を打ち出したのです。過去と現在それぞれについての批判的検討を重視する羽仁は、ファクト・チェックを重ねながら歴史解釈と歴史批評を練り上げ、自己相対化をはかっていく歴史実践のいとなみを、先駆的に鮮やかに示していました。

羽仁の著作と対話をした二人の学徒兵

戦前の羽仁の著作のなかで人々に広く読まれたのが、『クロォチェ』(一九三九)です。それは、イタリアの歴史哲学者クローチェ(B. Croce　一八六六―一九五二)の思想を紹介する形で、羽仁自身の歴史観を提示した書物でした。ここには次のような一節があります。

クロォチェは「それぞれの民族とか国民とかに特別の使命があるように云い、そうした使命のない民族国民は民族国民と呼ばれるにあたいせぬとゆうようなことが、最近の流行であるが、そうゆうようなことに何か真面目な意味があるであろうか、」と、彼の近代史的考察を開始する。(……)諸君は如何に思うか。大言壮語にはじまり大言壮語におわり、現代の複雑な生活の現実に精確な基準を求める読者の要求にはなにものをも与えないいわゆる歴史著述の横行になやんでいる諸君の大部分は、沙漠にオアシスをみいだしたようにおもわないであろうか。(羽仁　一九三九：七〇頁、旧字体を改)

斎藤斐章のような、日本の世界史的な使命を論ずる歴史解釈・歴史批評が氾濫しているなかで、羽仁は「大言壮語」を戒め、「事実」に基づいた正確な判断を重ねていく批判的思考を説きました。「事実」を希望(願望)によって測ってはならないというのが、本書の最後で羽仁が読者に語りかけたことでした。

こうした羽仁のクローチェ論は、まさに民族・国民の使命を命ぜられて動員された学徒兵の遺した手記のなかに、心の拠り所として書きとどめられています。一九四五年五月、鹿児島の知覧から沖縄へ出撃して戦死した上原良司(一九二二—四五)は、前夜に書き記した「所感」において、「人間の本性たる自由を滅ぼす事は絶対に出来なく、例えそれが抑えられているごとく見えても、底においては常に闘いつつ必ず勝つという事は、彼《か》のイタリヤのクローチェも言っているごとく真理であると思います。権力主義全体主義の国家は一時的に隆盛であろうとも、必ずや最後には敗れる事は明白な事実です」と、自分の死の意味を世界史のなかで批判的に見つめました。彼は、明日確実に訪れる自分の死について、「天国において彼女と会えると思うと、死は天国に行く途中でしかありませんから何でもありません」と、亡き恋人との再会において意味があると考え、国民の使命を拒絶しました(日本戦没学生記念会編　一九九五：一八一―一九頁)。

また、一九四四年一〇月、フィリピン西方海上で戦死した吉村友男(一九二二―四四)は、「クロォチェのように「自分自身の批判」を持ちそれを活かすことによって、わたしたちは立派になれる」のであり、「今の生活に都合が悪いからといって批判をすてたなら、かえって、ほんとうの幸福をうしなうことになると思います。それがわたしたちの教養というものではないでしょうか」と書き残しました(日本戦没学生記念会編　一九九五：二二九―二三〇頁)。

彼らの手記を読むと、厳しい思想統制がしかれていた社会のなかで孤独に生きながらも、懸命に羽仁の書物との歴史対話を実践していたのだということ、そして、その際に彼らは、考える対象にタブーを作らず、人々のいのちへのリスペクトを持ち、自分を相対化する意志を堅持していたのだということに気づかされます。彼らはナショナル・ヒストリーにからめとられない自由なまなざしを持とうとしていました。学徒兵は、所詮は戦争遂行の主体だったではないかという批判が、戦後社会では繰り返し出されてきました。そうした意見を視野に入れながらも、上原良司が、知覧の基地で「人を正視することのない」雰囲気をたたえて集団のなかでも孤独に過ごし、最後に「所感」を報道班員にそっと託したことの意味を、私は問い直し続けていきたいと思っています（高木　二〇〇六：Ⅱ巻九一頁）。

上原専禄の「ひとりひとりの変化する世界史」

世界史教育を学習する側の立場から捉え直したもうひとりの歴史家が、先述した上原専禄です。『日本国民の世界史』の斬新さは、上原が書いた序言「世界史を学ぶために」で、世界史の主体的な学び方を提唱している点にありました。上原は、世界史の学習は次のようなものであるべきだと述べています。

人類の歩みやあり方に対する省察と吟味は、われわれの問題意識を掘り下げ、それを鋭くするであろうし、生活意識の構成を堅固なものにし、その内容を豊かなものにするであろう。そのことが、「世界史を学ぶ」ことから生じてくる最大の効用である。このように、鋭くされた問題意識と、強められ豊かにされた生活意識から再出発して、世界史認識のための努力を続けていくならば、われわれはいっそう鋭い問題意識と、いっそう強く豊かな生活意識とをもつことができるようになるであろう。（上原編　一九六〇：五頁）

歴史認識を持つことで、自分の「問題意識」と「生活意識」を深く豊かにすることができるはずであり、その「問題意識」と「生活意識」をもって再び歴史の学習に向かえば、さらに二つの意識が研ぎ澄まされてくるだろうと、上原は学習主体ひとりひとりのなかで「歴史認識」と「問題意識・生活意識」が循環的に成長するような歴史学習を重視しているわけです。そうであるならば、世界史像（歴史認識）は研究成果を系統的に教え込むようなものではなく、生徒たちが主体的に構築していく多様なものになります。いわば、ひとりひとりの世界史が成立することが目指されることになります。その場合、学ぶプロセスのなかで生徒たちの問題意識や生活意識が変容していくべきことが目指されています。上原は論文「現代認識の問題性」（一九六三）において、世界史を認識する「大衆」が自分のせまい生活経験のなかでの発想（上原の表現で言えば「胃の腑の認識」）にとどまっていてはいけないのであって、他のさまざまな事象と有機的に関係させて発想を広げていくことで、自分たちだけの問題ではないという普遍的な問題意識を持つことになると、世界史を認識するさいの自分自身の相対化の大切さを説いています。歴史認識（上原の表現では「歴史化的認識」）は単に形成するだけではなく、確立され、鍛錬されていくという変化のプロセスを有するものなのです。私は上原の発想を「ひとりひとりの変化する世界史」と呼びたいと思います。そのようないとなみは、歴史研究者にも共通するものであり、上原自身の表現をそのまま使えば、「インテリ」と「大衆」の区別は間違いであり、「大衆としてのインテリ」と「インテリとしての大衆」のような存在であるべきなのです(上原　一九八七)。研究者・教師と生徒とのまなざしの対等性を、上原もまた考えていたのでした。

実際には、上原たちの『日本国民の世界史』は一つの歴史叙述が提示されているだけで、「ひとりひとりの変化する世界史」を生み出す工夫が見えてくるわけではありません。しかしこうした問題関心にもとづく授業づくりが、戦後の日本社会のあちこちで実践されてきました。

たとえば、従軍経験を経て都立広尾高校で世界史を教えるようになった吉田悟郎(一九二一―二〇一八)は、世界史の最初の授業のときに生徒たちを校舎の屋上に連れて行き、「これから始まる世界史の授業は、この地域から始まる」と、眼下の広尾にならぶ庚申塚《こうしんづか》・板碑《いたび》・中国人留学生が学ぶ学校などを指さし、「自分だけが話すような授業はしない。年号とか暗記とか無視した授業をする」と宣言しました。吉田は、上原専禄に学びながら、世界史と日本史の垣根を乗り越え、自分自身の問題意識と生活意識に根差した主体的な世界史を、生徒と教師が共に対話をしながら目指すことを重視しました(吉田　二〇〇六)。

同じく都立町田高校などの教壇に立った鈴木亮(一九二四―二〇〇〇)は、①世界史と日本史を統一してとらえること、②現在の民衆・民族・地域住民にとって意味のある世界史とは何かを考えること、③それぞれの地域世界が対等の立場で地球を構成していることをふまえた歴史像を考えることを目指しました。そしてそのために、生徒自身の歴史叙述『私たちの歴史』を半年かけて制作する授業や、オーソドックスな講義と質疑応答に加えて、生徒に授業の感想を書いて提出させ、生徒間で内容を共有する授業などを重ねました(鈴木　一九七七)。

教科書の章立てに従って授業を進めるのか、完全に自主編成するのかの違いはあるにせよ、全国のあちこちで、「世界と向き合う世界史」を積み重ねて、自分なりの主体的な「世界のつながりを考える世界史」を構想しようとする試みが取り組まれてきたのでした。そしてそのなかでは歴史解釈だけでなく歴史批評(上原や吉田の表現では「意味認識」)までを含めた歴史対話を重ねることで、構想したことをさらに変化させていくことが実践されてきたのです。私は、こうした先達の挑戦の延長線上に、新しい世界史学習としての「歴史総合」を構想したいと考えています。

新科目「歴史総合」の課題

高校の新科目「歴史総合」は、①日本の歴史教育史上初めて日本史と世界史を統合した近現代史をすべての高校生が学ぶことになり、②網羅的な知識注入にならないように三つの大項目(大単元)の形――「近代化と私たち」(一八世紀から二〇世紀初頭の歴史)／「国際秩序の変化や大衆化と私たち」（一九一四年から一九五〇年前後までの歴史）／「グローバル化と私たち」（一九五〇年代から現在までの歴史）――に焦点化して学ぶことになりました。そして、③「歴史総合」は、歴史学習の意義の一つを、現代的な諸課題の歴史的経緯を解き明かすことにおき、過去と現在のつながりが重視されることになりました。また、④ただの知識暗記ではなくて、資料や歴史叙述を読んで「問い」を抱き、その問題意識をもって歴史を探究することによって、歴史事象の特色や意味を多面的に考察する力と、歴史的な課題を解決策まで含めて構想する力、そして考察・構想を説明して議論できる力などを育成することが目標とされました。そのために「問い」を考えるのが歴史の学びの第一歩であるという基本的なスタンスが重視されることになりました。

まさに日本列島史も含んだ世界史を、ひとりひとりの「世界と向き合う世界史」として構想し、他者と対話をして練り上げていく歴史実践が、「歴史総合」の学びなのです。日本史を日本列島史と表現し直すのは、明治維新によって成立した近代国家の枠組みを過去に投影させるのではなく、日本人を含む多様な人々が織りなす「日本列島における人間社会の歴史」（網野善彦）というものを念頭においているからです（網野　一九九七：上巻i頁）。

同時にそこにはいくつかの課題があります。第一に、実際に刊行された「歴史総合」の教科書をみると、これまでの世界史（外国史）と日本史の「並列」になっている場合が多く、両者を

「総合」する視点が弱いように思います。同時代に外国でおこったことと日本列島でおこった ことを確認することはできるのですが、どう比較するのかとか、どう連関分析をするのかが見えてこないわけです。たとえば、各時代の重要概念(たとえば「市民革命」・「立憲主義」・「産業革命」・「人種主義」・「大衆化」・「ファシズム」・「高度経済成長」など)が世界史と日本史に共通して使えるのか、使えないとすればなぜなのかの理由を考えることで、「総合」の第一歩が築けるのだと思います。これまで特に日本史の研究が、分析を精緻化するあまり他分野との共有が困難な言葉遣いになっていたものを、もう一度広い視点に立って考え直してみる試みです。そうすることで、現代的な諸課題が、日本列島を含む世界のなかでどのように展開されてきたのかを探るような世界史が可能になるのだと思われます。また、前述したアヘン貿易のように、世界史叙述では強調されているのに日本史叙述では隠されているものを明るみに出して、不可視化の理由も含めた連関分析をすることも必要になるでしょう。

第二には、誰にとっての現代的諸課題の歴史的経緯を探究するのかという、歴史実践の立場性を固定しがちになるという問題があります。具体的に言えば、三つの大単元のテーマの中に出てくる「私たち」、たとえば「近代化と私たち」というときの「私たち」とは、誰なのかをたえず問い直していく必要があるということです。学習指導要領は文部科学省の告示なので、歴史学習の目標に「日本国民としての自覚」と「我が国の歴史に対する愛情」の涵養をうたっており、「私たち」とは一義的には日本国民であることが示されています。しかし同時に指導要領は「他国や他国の文化を尊重することの大切さについての自覚」をもつことをうたっています。そのためには「私たち」の範囲をずらしていくことが必要になります。他国の人だったらどう考えるか、地球市民として考えたらどうか、日本国民だとしても全く異なる考えの人を視野に入れるとどうかなど、ただひとつの the history を絶対視するのではなく、いくつもの histories の束のなかから「私が叙述した歴史」をさまざまな他者と理解し合えるような形で構想し、変化させていくことが、「私たち」にいのちをふきこむことになるのでしょう。

第三に、これが最も深刻な課題なのですが、教科書の記述は相変わらず「過積載」の傾向にあり、そこには多くの「問い」が掲げられるようになったものの、実際には教科書を読めば答えが判明するような内容であるという、「問いの形式化」がどうしても否めません。いくつもの「問い」を連鎖的に考えながら、ひとりひとりの「世界と向き合う世界史」を練り上げての「世界のつながりを考える世界史」につなげていくような歴史対話をどのように目指せばよいのかという大きな課題があります。

3　歴史対話の五つの方法

課題発見作用の対話

「問いの形式化」を乗り越えるためには、生徒が前のめりになって「歴史対話」をしたくなったり、このことを考えることに意味があったと振り返ったりするような「問い」とは、どのようなものかを考える必要があります。私が多くの高校の先生方と懇談をした経験から言うと、歴史の授業で対話をうみだすこと自体が難しいと考えられがちです。「地理」や「政治・経済」では日常生活の感覚や知見から自分の意見を組み立てやすいのに対して、歴史では一定の知識をもとに日常とは異なる世界の事象を考察しなければならないと思われるからです。だから「対話ができるようになるためには、まずは知識を身につけなければならない」という固定観念が消えないのです。これに対して、それほど知識がなくても歴史対話が可能になるために、五つの方法を意識して「問い」を作ればいいのではないかというのが私の経験知です。

第一に、「課題発見作用の対話」があります。なぜこのような歴史が生起したのだろうという謎を発見するような「問い」を設定するのです。あるいは、書かれざる歴史イメージを含め、なぜこのような歴史叙述がなされたのだろうという課題意識に出会う「問い」を設定するのです。歴史事象の特徴を示す意外性のある史料があれば、生徒たちでも「問い」を作ることができます。先述した事例では、「清朝の貿易赤字の増加が、アヘンの輸入によるものだと説明できない時期が、グラフのなかにはあるのではないでしょうか」が、このタイプの対話につながります。歴史実証・歴史解釈のレベルの思考になり、どのファクト・チェックの方法に照らしてそう言えるのかを吟味できます。

授業の名手として評価の高い先達の繰り出す鮮やかな「問い」もこのタイプのものが多いと言えます。加藤公明の日本史の授業では、生徒たちが「変だなぁ探し」に夢中になり、そこから深い学びに誘われていきます。たとえば、一七八九年に起こったアイヌの蜂起、クナシリ・メナシの戦いを松前藩が鎮圧したとき、これに協力したアイヌの一二人の首長を描いた、蠣崎《かきざき》波響《はきょう》(松前藩家老)の「夷酋《いしゅう》列像」を見ながら、この絵に描かれた人物像に「変だなぁ」と思うところは何だろうかという問いから始まり、さらにこの人物はどのような人だと思うかを問いながら、江戸期に形成された日本人のナショナル・アイデンティティとアイヌへの差別的なまなざしを考えていきます(加藤 二〇一五)。「夷酋列像」の人物が着物を左前に来ているとか、三白眼《さんぱくがん》でおそろしい表情をしているとか、意外性に出会ったときの知的好奇心をフル稼働させながら、生徒たちは蠣崎波響がこのような人物像を描いた意図を想像し、そのことの歴史的な意義を考察していくのでした。

また、中学校の社会科の授業を実践した安井俊夫は、授業のなかで生徒たちから自然に浮かんできた「問い」を教師がすくいとることに、より深い授業の可能性を見出しました。何気なく浮かんだ疑問をためらわず発言することを生徒に促したり、授業の感想のなかでさらに疑問に思ったことを生徒に書かせたりすることで出てきた素朴な「問い」を授業のテーマにしていくのです。たとえば、日清戦争の授業で「初めての戦争で、天皇は宣戦布告するのに不安はなかったのか」という生徒の疑問が出てきたことを軸にして、憲法上「統治権を総攬《そうらん》」する立場であった明治天皇が、日清・日露戦争や韓国併合においてどのような判断をくだしていたのかを考えていきます(安井　二〇〇八)。日清戦争の発端となった朝鮮王宮を包囲する軍事行動について、明治天皇は自分の裁可がなく進められたことに不満と戸惑いを抱いていましたが、戦局の進行にともなってむしろ戦線の拡大を期待するようになっていきました。明治憲法の規定と実際の相違とか、日清戦争が朝鮮支配をめぐるものであったことなど、いくつもの歴史分析の課題が、生徒の素朴な問いから立ち上がってきます。また、高校の授業であっても、明治憲法の規定で天皇の絶対的な地位を学んだことと、その後の歴史叙述に天皇の行動がまったく現れないことの間に大きな矛盾があるわけで、安井実践は教科書の歴史叙述の問題点を課題発見できる可能性をもっています。

加藤も安井も、生徒の詳細な知識を前提としているのではなく、生徒の素朴な疑問を出発点にして、それを教師の深い歴史学の知見に結びつけて掘り下げ、さらに生徒同士の討論によってテーマについての考えを変容させていく手法をとっています。教育内容をあらかじめどの程度設定するのかについて両者には考え方の相違がありますが、系統学習を徹底して掘り下げたところに課題解決学習への道筋が見えてくる、先達のすぐれた実践です。加藤が、「学問＝歴史学はまさしく、人類文化そのものであり、私の授業は、それを生徒が「継承」し「共有」し、学問の成果が綿々と多くの人々の研究努力や認証によって発達してきた、その「共同性」に生徒を参画させる橋渡しをしているともいえる」と論じていることに、私は共感します（加藤 二〇一五：三二－三三頁）。私の考える「現在までの様々な「叙述された歴史」を検討しながら、「私が叙述した歴史」（歴史認識）を相対化して練り上げていくいとなみ」としての世界史学習を、加藤は「歴史学の共同性への参画」という卓抜なことばで表しているのでした。上原専禄が述べた「インテリとしての大衆」とは、決して空虚な言辞ではないのだと思います。

主体化作用の対話と時空間拡大作用の対話

歴史対話を活性化させる第二の方法は、「主体化作用の対話」です。歴史事象を自分ごととして考えてみるような「問い」を作ることから始まります。遠い世界のどうでもよい出来事だと思っていたものが、突然、自分の生き方と関係があるのかもしれないということに思い至るような「問い」からうまれる対話です。学んでいる歴史事象と、ひとりひとりの問題意識や生活意識をつなぐ「問い」であり、歴史批評のレベルの思考になります。先述した事例では、「貿易として行っていることが、実は相手国に負の影響を与えているということに、現代の私たちがあまり気づいていないという事例はないだろうか」が、このタイプです。生徒に「わかりません」と言われるだけだと思われるかもしれませんが、今は一人一台端末の時代ですから。検索キーワードのヒントを与えたり、場合によってはグループごとにキーワードをずらしたりしていけば、多様な回答が出てきます。生徒に投げかける資料を班別に複数作って、そこから読み取れることを共有し、多面的な考察を実現する「ジグソー法」は、有意義ですが、教材準備が大変です。しかし検索キーワードをパターン別にすれば、簡易ジグソー法ができると私は考えています。

自分の生活と直接関係がなくても、遠くの出来事が鮮明なイメージや具体的な情報としてとらえられることで、自分ごとのように考えたくなることもあるでしょう。周藤新太郎は、パレスチナ問題を学ぶ「歴史総合」のモデル授業案において、国連のパレスチナ分割決議前と分割決議案をイメージするために、教室の生徒たち四〇名をユダヤ人役とパレスチナ人役に見立ててテープの区切りに従って移動させ、さらに難民役の生徒には廊下に出てもらいます。そのうえで、ユダヤ人役、パレスチナ人役それぞれの生徒たちに、「分割決議案をどう考えるか」「疑問に思うことはないか」と問いかけています。さらにはオスロ合意後のイスラエルによる分離壁の建設を、教室にロープと机の配置によって想像できるようにし、「テロから守るためには分離壁は安全か」という問いを生徒に考えさせるのです(歴史教育者協議会編 二〇二〇)。

歴史対話の活性化法の第三に、他の歴史事象との比較を試みる「時空間拡大作用の対話」があります。「イギリスのアヘン貿易と日本のアヘン貿易は、同じように許容されうるものだろうか」とか、「景徳鎮の光景と似た経済活動を、今回のアヘン戦争の学習で見出すとすれば、どこだろうか」といった「問い」がこのタイプです。歴史解釈・歴史批評の視野を大きく拡大していく効果があり、この問いを重ねることで「歴史総合」が単なる世界史と日本史の並列にとどまらず、歴史類型論タイプ・歴史構造論タイプ・歴史連関分析タイプなど多様な「世界のつながりを考える世界史」をうみだすことになり、文字通りの「総合」たりえるのだと思います。もちろん、ここでもファクト・チェックの方法を自覚的に使うことができます。

米山宏史は、「歴史総合」の授業プランとして、一九世紀後半のアメリカ合衆国が先住民の保護を口実に土地の給付と同化を掲げたドーズ法をモデルにして、日本の対アイヌ政策である北海道旧土人保護法が制定されたことについて、「なぜ明治政府がドーズ法をモデルにしたのか」を問うています。近代国民国家の同化政策が相互に連関をもちながら展開してきたことを考察しようとしているのです。あるいは、第一次世界大戦中のヴェルダンの戦いに従事したフランス兵の両親宛の手紙と、日中戦争で南京事件に関わった日本兵の陣中日記を読み比べて「共通点と相違点は何か」ということを考えようとしています。たとえば、両者に共通して敵への激しい敵愾心《てきがい》が渦巻いていることを読み取りながら、ジェノサイドがどうして発生するのかを考えたり、逆に相違点として南京の日本軍が子どもや高齢者を捕虜にして殺害したことを浮かび上がらせようとしたりしています(歴史学研究会編　二〇二二：二五七頁、二六〇頁)。いずれも世界史と日本史の並列を乗り越える試みと言えます。

「時空間拡大作用の対話」は、歴史と歴史をつないだり、比較したりすることで、「今、ここで」の歴史的な特徴を一層鮮明に浮かび上がらせてくれるでしょう。「つなぐ・比べる」という思考の意義について、私は小田中直樹『世界史の教室から』(二〇〇七)から大きな示唆を受けていますので付言しておきます。

根拠の問い直し作用の対話と仮説の構築・検証作用の対話

歴史対話の活性化法の第四に、「根拠の問い直し作用の対話」があります。歴史を解釈するフレームや概念を見つめ直してみるような「問い」です。第一の「課題発見作用の問い」と重なることもあり、歴史解釈のレベルの思考を深く展開する対話になると言えましょう。これがどれだけできるかが、私の目標です。たとえば、「アヘンの実際の影響とか、アヘン貿易の主体を考えたときに、グラッドストンの反戦演説は、どう評価すればよいだろうか」という「問い」は、誰もがグラッドストンは正義だと評価してきたフレーム(アヘン戦争は侵略であるという根拠)を揺さぶって、もう一度自分自身で根拠を設定して評価し直してみようとするものです。もちろん唯一解はなく、互いの根拠をファクト・チェックに照らして吟味していくことになります。

第五に、最も高度になりますが、「仮説の構築・検証作用の対話」があります。第四の対話とも重なりながら、実際に仮説を構築してみるわけです。この「問い」をめぐっては、歴史事象を見る立場性(ポジショナリティ)について意識しながら、歴史解釈・歴史批評のレベルの思考ができるでしょう。先述したアヘン戦争の例では、「学んだことを踏まえて、教科書を書き換えてみるとどうなるだろうか」という「問い」がこれにあたります。歴史叙述を書き直してみるということは、仮説を再定義する実践であり、生徒を歴史家にする学びです。

先にも紹介した加藤公明には、慰安婦問題についての授業のなかで、日本国家の責任を認めない秦郁彦のいわゆる文部省食堂論(日本軍は慰安所を経営する業者に便宜を与えているだけなので、文部省と省内食堂の関係の如く、業者の問題について直接的な責任があるわけではないという考え方）について、これをどう評価するかという歴史対話を行っています（加藤　二〇一五）。これは慰安所と国家の関係についての秦の仮説を問い直そうとする歴史実践であると言えます。仮説の構築・検証作用の対話と聞くと、そんな高度なことが授業でできるわけがないと思われがちですが、ある歴史叙述をめぐって考察を加えることは、その叙述が提起している仮説に対して対話をすることになる場合が多いのです。

ここで留意しておかねばならないことは、文部省食堂論をめぐる歴史対話は、賛成派・反対派のどちらかを増やすことが第一目的なのではなく、あくまでそれぞれの根拠や論理整合性などのファクト・チェックを行いながら、いのちへのリスペクトを大切にする観点も含めて、生徒が自分なりの見解をもつというところに第一目的がおかれるべきだという点です。また、それが「多様な意見がありますね」という単純な思考停止状態と違うところは、各自の意見を吟味して変化させるプロセスがあり、教師の見解が生徒を圧倒しない形で提示されたりしながら、思考が深まったうえでの多様な見解の許容であることです。かつて西ドイツでは一九七〇年代に左右の政治対立が教育を巻き込んだときに、全国の対立する政治教育学者たちがボイテルスバッハという町で和解の可能性を討論しました。会議中には明確な合意が形成されなかったものの、後で作られた文言が「ボイテルスバッハ・コンセンサス」として政治教育学者や教員の間に広く受け入れられるようになります。それを要約すれば、Ⓐ教師は、いかなる方法によっても期待される見解をもって圧倒して生徒が自ら判断することを妨害してはならない。Ⓑ学問と政治において議論のあることは、授業においても議論のあるものとして扱わなければならない。Ⓒ生徒は、自分の利害にもとづいて政治的状況に影響を与える手段と方法を追求できるようになるべきである。…ということになります（近藤　二〇〇五：四六―四七頁）。先に述べた私自身の授業の歴史対話のルールと比較すると、①対話の対象にタブーを作らないことはⒷに関連し、②対話に参加するメンバーは全員が対等であり、相互にいのちをリスペクトしあうことはⒶに関連し、③自分の見えていない事実・解釈・意義付けに気づけるかもしれないという、「自分を相対化する」意志を大切にすることはⒸに関連していることになります。

以上、歴史対話を活性化する「問い」の作り方を検討してきました。歴史叙述を読み解いているとき、「何か変だ」「自分とどう関係しているか」「何と比較できるか」「その根拠は大丈夫か」「自分自身で論理をたてるとどうなるか」…ということを考えてみて、できればそれを他者と語り合えれば、「私が叙述した歴史」を練り上げて、自分自身を幾重にも問い直す学びが始まるのではないかと私は考えています。

そのためにこそ、私が「危機の瞬間にひらめく想起」（ベンヤミン）としてつかんだ「問い」を、「グランドキャニオンにバラの花弁を落とし、爆発を待つ」ような思いで、教室の生徒の皆さんに静かに心をこめて語りかけたいと考えています。

第2講の参考文献

天野為之(一八八七)『萬國歷史』富山房
網野善彦(一九九七)『日本社会の歴史』全三巻、岩波書店《新書》
上原専禄編(一九六〇)『日本国民の世界史』岩波書店
上原専禄(一九八七)『著作集25　世界史認識の新課題』評論社
小川幸司・成田龍一編(二〇二二)『シリーズ歴史総合を学ぶ①　世界史の考え方』岩波書店《新書》
小田中直樹(二〇〇七)『世界史の教室から』山川出版社
小田中直樹(二〇二二)『歴史学のトリセツ――歴史の見方が変わるとき』筑摩書房《プリマー新書》
笠原十九司(二〇二二)『通州事件――憎しみの連鎖を絶つ』高文研
加藤公明(二〇一五)『考える日本史授業4――歴史を知り、歴史に学ぶ！　今求められる《討論する歴史授業》』地歴社
久保亨・加島潤・木越義則(二〇一六)『統計でみる中国近現代経済史』東京大学出版会

倉橋正直（二〇〇五）『日本の阿片戦略――隠された国家犯罪』共栄書房
後藤春美（二〇〇五）『アヘンとイギリス帝国――国際規制の高まり 1906～43年』山川出版社
近藤孝弘（二〇〇五）『ドイツの政治教育――成熟した民主社会への課題』岩波書店
斎藤斐章（一九一三）『實證的見地心理的思索に據れる歴史の内容的教授法』目黒書店
斎藤斐章（一九二六）『實業教育外國史』大日本図書
鈴木亮（一九七七）『世界史学習の方法』岩崎書店
セニョボス／ラングロア（一九八九）『歴史学研究入門』八木本浄訳、校倉書房
高木俊朗（二〇〇六）『戦記作家高木俊朗の遺言』全二巻、文藝春秋
遅塚忠躬（二〇一〇）『史学概論』東京大学出版会
豊岡康史・大橋厚子編（二〇一九）『銀の流通と中国・東南アジア』山川出版社
成田龍一（二〇二二）『シリーズ歴史総合を学ぶ② 歴史像を伝える』岩波書店《新書》
日本戦没学生記念会編（一九九五）『新版 きけ わだつみのこえ』岩波書店《文庫》
野家啓一（二〇一六）『歴史を哲学する――七日間の集中講義』岩波書店《現代文庫》
羽仁五郎（一九三九）『クロォチェ』河出書房
羽仁五郎（一九八六）『羽仁五郎歴史論抄』斉藤孝編・解説、筑摩書房《叢書》
羽田正（二〇一一）『新しい世界史へ――地球市民のための構想』岩波書店《新書》
ヘーゲル（一九九四）『歴史哲学講義』全二巻、長谷川宏訳、岩波書店《文庫》

ベルンハイム（一九三五）『歴史とは何ぞや』坂口昂・小野鉄二訳、岩波書店《文庫》
南塚信吾・小谷汪之編（二〇一九）『歴史的に考えるとはどういうことか』ミネルヴァ書房
村上衛（二〇一三）『海の近代中国』名古屋大学出版会
桃木至朗（二〇二二）『市民のための歴史学――テーマ・考え方・歴史像』大阪大学出版会
安井俊夫（二〇〇八）『子どもの目でまなぶ近現代史』地歴社
吉田悟郎（二〇〇六）「歴史教育体験を聞く　吉田悟郎先生」『歴史教育史研究〈上越教育大学〉』第四号所収、聞き手／鈴木正弘・三王昌代・茨木智志
歴史学研究会編（二〇〇七）『世界史史料6　ヨーロッパ近代社会の形成から帝国主義へ――18・19世紀』岩波書店
歴史学研究会編（二〇二二）『「歴史総合」をつむぐ』東京大学出版会
歴史教育者協議会編（二〇二〇）『世界と日本をむすぶ「歴史総合」の授業』大月書店
渡辺和行（二〇〇九）『近代フランスの歴史学と歴史家――クリオとナショナリズム』ミネルヴァ書房
https://www.jetro.go.jp/biz/areareports/special/2019/0101/fceb0360455b6cdf.html（「ジェトロ地域・分析レポート」、二〇二三・四・九最終閲覧）
https://www.greenpeace.org/japan/campaigns/story/2021/07/20/52357/（国際環境NGOグリーンピースのHP、二〇二三・四・九最終閲覧）

第3講
近代化と私たち

1　奴隷や女性を主語にした歴史叙述の試み

「近代化と私たち」というフレーム

第1講と第2講は、「歴史総合」をめぐる方法序説でした。そこで第3講からは、「歴史総合」の三つの大項目「近代化と私たち」・「国際秩序の変化や大衆化と私たち」・「グローバル化と私たち」の授業の一例を、私のこれまでの世界史の授業経験をアレンジして作ってみたいと思います。ただし、一時間ごとの学習指導案のような形ではなく、「問い」をまじえた数時間分の講義のスタイルで表現していくことにします。高校生や大学生の皆さん、そして一般市民の皆さんは、ご自身の学んだ世界史を改めて再検討するような講義になりえているかを見ていただきたいですし、歴史教育者の皆さんは、学習指導案としてではなく、世界史を掘り下げる「問い」の例示として見ていただければ幸いです。「問い」は、生徒どうしの歴史対話につなげていく場合もあれば、私の講義の課題設定として示すだけの場合もあります。「問い」が連鎖していき、最終的には「問う私」を見つめるような問い方を目標にしています。

では、最初の大項目「近代化と私たち」をとりあげます。ここでは、一八世紀から二〇世紀初頭の世界史を学びます。学習指導要領では、①経済の視点として、まず産業革命以前の一八世紀のアジアや日本の経済の特色について、世界貿易のあり方を含めて学び、次いでイギリスに始まる産業革命の影響で中国の開港や日本の開国がおこり、世界市場が形成されていったことを学びます。そして②政治の視点として、一八世紀後半以降の立憲体制と国民国家の形成について、欧米の市民革命や国民統合の動向と日本の明治維新などを中心に学び、さらに列強の帝国主義政策とアジア諸国の変容を学ぶことになります。ごく単純化すれば、産業革命と国民国家の形成が欧米で進み、それが世界市場の形成と帝国主義政策の展開という形で、アジア諸国をはじめとする世界に大きな影響を及ぼしていったという世界史です。ただしそのなかで、あえて一八世紀のアジア経済から教科書が始まることで、欧米諸国が常に世界を動かしたというように考えるのではなく、非欧米地域、特にアジアには産業革命前に独自の経済発展があったことに着目し、ヨーロッパ中心史観に陥らないような多面的思考が目指されています。第2講でアヘン戦争の歴史を掘り下げる「問い」を例示したのは、そのような私なりの工夫の一例でした。

そこでこれから一八世紀後半のアメリカ独立革命から一九世紀後半の南北戦争にいたるアメリカ合衆国の歴史を、奴隷とされた人々や女性に焦点をあてながらたどり、「近代化」の光と影を考えてみましょう。そして国民国家の形成という視点で「近代化」をとらえようとしている「私たち」自身のものの見方を再検討してみたいと思います。

アメリカの政治を動かしていたのは誰か

まず、「歴史総合」(または世界史)の教科書でアメリカ独立革命から南北戦争にいたるまでの歴史がどのように叙述されているかを読んでみましょう。叙述の流れは、北米大陸におけるイギリス13植民地の由来から説き起こし、本国と植民地の対立が激化して独立戦争が始まり、やがて植民地側が勝利してアメリカ合衆国が成立するものの、商工業を重視して統一国家の権力を強化しようとする連邦派と、それを警戒する農業重視の共和派(反連邦派)の対立が続いたことが説明されます。そして合衆国は西部に大幅に領土を伸ばすとともに、奴隷制をめぐって北部と南部の対立が激化した結果、南北戦争が勃発するなかで奴隷解放宣言が出されますが、黒人差別は形を変えて続いていったというのが、基本的な歴史叙述です。主な登場人物は、独立宣言を起草したジェファソン、初代大統領になったワシントン、アメリカ外交の孤立主義を唱えたモンロー、先住民の強制移住法を制定したジャクソン、そして奴隷解放宣言を出したリンカンです。

これらの主な登場人物に共通する属性は何でしょうか。そして主な登場人物になっていない

属性にはどのようなものがあるでしょうか。そうした属性の人々はどのように教科書に描かれているのでしょうか。つまり、教科書に登場する人物はヨーロッパ系アメリカ人(白人)ばかりであり、ネイティヴ・アメリカン(先住民)やアフリカ系アメリカ人(黒人)が登場するときは、白人のどのような政策のもとにおかれたかという、受け身の客体としての叙述なのです。同じことは女性についても言えます。新たに誕生したアメリカ合衆国が、「人間の平等」を重視しながらも女性に参政権が与えられなかったという客体としての叙述だけです。例外的に『アンクル・トムの小屋』を書いて奴隷制を批判したハリエット・ビーチャー・ストウが登場するくらいです。

では、**なぜ先住民・黒人・女性は、固有名詞の人物として登場しないのでしょうか。**歴史用語を増やすと暗記地獄を助長するという教育学的考察はひとまず脇におき、生徒たちから必ず出てくる「政治を動かしていたのが白人だったから」という応答をとりあげてみたいと思います。どうしてそう思うのかと聞くと、「アメリカの大統領は、オバマが登場するまでみんな白人だったから」と生徒は答えます。ならば、**政治を動かすのは、大統領だけなのでしょうか。**

黒人奴隷を主語にして独立革命を見直す

たとえば、黒人奴隷とされた人々を主語にしてみると、教科書はどのように書き換えることができるかを考えてみます。**アメリカ独立戦争の意義についての教科書記述を、黒人奴隷たちの動向を踏まえて書き換えてみましょう。**一七〇〇年から一七七五年までに北米植民地に上陸した約六〇万人のうち、自由人は二六％にすぎず、黒人奴隷が四七％を占めていました。残りは期限をつけた強制労働に従事している白人の年季奉公人一八％や罪人九％たちでした。上陸した人々の多くが自由を奪われた人々だったわけです。一七七五年に始まる独立戦争について、とかく植民地側が正義でイギリス側を不正義だと善悪二元論で見てしまいがちですが、戦争中にイギリスが占領した深南部からは奴隷の四分の一以上が逃亡することができました。イギリスのヴァージニア総督は、国王軍に参加した時点で黒人奴隷は解放されるという布告を発しました。ノースカロライナの黒人奴隷トマス・ピーターズは、これまでにも三度逃亡を試み、その都度失敗してきましたが、自分の主人が植民地の独立を目指して語っていた「生まれながらの自由」を自分自身で実現するために、一七七六年に家族をともなって逃亡し、イギリス軍に加わっていきます。一方で、南部の州では、多くの主人が自分の兵役を免れるために、解放を約束して奴隷を軍隊に差し出しました。このような経過を経て、独立戦争のなかで全黒人の二〇％にわたる一〇万人が自由になっていきました（上杉　二〇一三：二二頁、二六―二七頁）。また、独立戦争勃発の頃にフィラデルフィアで設立された奴隷制反対協会は、戦後にフランクリンを会長にして再結成されるとともに地方の協会を増やし、一七九四年には最初の全国大会を開いて奴隷制度と奴隷貿易を厳しく批判しました。

つまり独立戦争は、黒人奴隷から見るならば、自由を求めて同じ立場の者どうしが戦う悲劇であったとともに、一定数の人々が自由を獲得するプロセスとなりました。ちなみに、先住民はイギリス側に立って、自分たちの土地に侵略してくる植民地軍に対して戦うことになり、激しい戦闘が西部で展開されました。つまり、「少数の自由人」が「多数の不自由人」を支配するアメリカという社会で、「少数の自由人」が政治的な「自由と平等」を求めて戦ったのが独立戦争なのであり、同時にその戦いでは、「多数の不自由な人々」もまた、彼らなりの必死の戦い方で、生きるための「自由と平等」をかちとろうとしたわけです。

しかし、独立した13植民地は、憲法の制定に先立って、新たに西部の領地が加わるときはオハイオ川を境にした北側で奴隷制を認めないだけにして、自由州と奴隷州を並存させる妥協策をとりました。参政権は自由人の男性有産者に限定されただけでなく、アメリカ合衆国憲法第一条には、下院の議席数が各州の人口に比例して各州に配分されることと、その場合の人口には年季奉公人を含む自由人総数に、先住民を除外し、「自由人以外のすべての人数」(つまり黒人奴隷)の五分の三を加えて計算することが明記されました。つまり南部の奴隷州が多くの議員を選出できる選挙制度になり、実際にも建国後の半世紀は、第二代・第六代を除いて、初代ワシントンから第一二代テイラーまで、大統領は皆、奴隷の所有者たちでした。アメリカ合衆国が「奴隷国家」であったと定義づけられる所以です（貴堂　二〇一九：五―七頁）。そして独立戦争期に減少した黒人奴隷の数は、一七九〇年から一八六〇年の間に、約七〇万人から約四〇〇万人へと大きく増加していったのでした（上杉　二〇一三：三四頁）。

　アメリカ独立戦争が、「公正なる権力は被治者の同意に由来する」という独立宣言の理念にもとづく民主主義の国を建設した「市民革命」であるとともに、同じ民族や同じ理念を共有する者が、自分たちを「国民《ネイション》」であると認識（想像）して主権を行使する、「国民国家《ネイション・ステイト》」を世界史上初めて形成した政治変革でもあったというのが、世界史教科書の歴史解釈です。しかし部分と全体のファクト・チェック方法に照らし合わせるならば、つまり、**合衆国内の膨大な「国民」から排除された人々のことまで視野に入れるならば、アメリカ独立革命の意義は、どのように書き換えればよいでしょうか。** 生徒たちの多くは、「しかし、民主主義や国民から除外された人々が存在した」と付け加えることで、歴史解釈の基本線は変えずに、例外があったという補足説明をします。それに対して解釈の基本線そのものを書き直す方法もあるでしょう。

　たとえば、「アメリカ独立革命は白人たちが支配する奴隷国家を作ったが、同時にその社会は独立宣言の理念にもとづく民主主義を実現する課題を背負うことになった。また、白人が自分たちを「国民」であると認識して主権を行使するとともに、自分たちに含まれない他者を支配したり迫害したりする「国民国家」がうまれる端緒となった」としてみるとどうでしょうか。

①民主主義とは革命という一つの事件だけでできあがるものではなく、多様な人々による継続的な努力を必要とするものであることや、②国民国家は「私たち」の同胞意識を強化するとともに「私たちではない人々」を区別して抑圧する特徴を本来的にもつことが、浮かび上がってくるように思います。研究史を振り返っても、革命の指導者たちは「民主主義《デモクラシー》」よりも、徳のある市民が公益を実現するという意味の「共和主義《リパブリカニズム》」という理念を重視したのであり、合衆国の民主主義の追求は一九世紀以降のことになるという見方が出されています（和田　二〇一九：一六一―一六二頁）。

そこで、**憲法の成立が理念の完成ではなく、むしろ理念の実現（または理念の再検討）に向けての出発点になる事例を日本の歴史のなかであげてみましょう**、とか、**ナショナリズムがうまれてくることが、同時に他者の抑圧につながる事例を日本の歴史のなかであげてみましょう**、と問うことができるようになります。教科書の歴史解釈をさらに問い直すことで、主体化作用の対話や時空間の拡大作用の対話の可能性が広がってくるのです。

女性を主語にしてアメリカの民主主義を見直す

一九世紀のアメリカの政治について、女性を主語にして見直してみましょう。一八三〇年代になると、これまでの人道主義による「漸次・部分・有償」の奴隷解放ではなく、奴隷制度の

「即時・全面・無条件」の廃止を唱える急進的な奴隷制廃止運動がおこってきました（本田　一

九八七：一〇〇頁）。このようななか、一八三三年には、女性たちによるフィラデルフィア女性

奴隷制反対協会が発足し、人種の別のない会員が活動を展開しました。その創設メンバーには

自由黒人のフォーテン家の女性たち、ハリエット、サラ、マーガレットがおり、協会は南部奴

隷州の黒人たちをカナダに逃亡させる手助けを展開していました。

合衆国の奴隷制廃止論者たちは、黒人たちを南部奴隷州から北部自由州へ、可能であれば捕縛されるおそれのないカナダへ逃亡させる「地下鉄道運動」を行っていました。「地下鉄道運動」は、自由黒人や白人の奴隷制廃止論者からなる自発的な協力ネットワークの活動で、実際に逃亡させた黒人の数には諸説ありますが、全体として南北戦争前までにおよそ七万から一〇万人が南部から逃亡しました（上杉　二〇一三：四三頁）。たとえば、フレデリック・ダグラスは、一八三八年にメリーランド州の奴隷農場から船員に変装して脱出し、列車でニューヨークに逃亡しました。そのときのダグラスは、背中に多くの鞭打ちの傷をもった二〇歳の青年です。逃亡者の取り締まりを行っているニューヨークでダグラスを匿《かくま》ったのは、「地下鉄道運動」のメンバーでした。やがて、ダグラスは各地で演説を行うとともに、自伝や週刊新聞『北極星《ノース・スター》』を発行して奴隷制廃止運動を展開します。自伝の出版自体が逃亡奴隷にとっては命がけの行為であり、出版後のダグラスは一時イギリスに身を隠しています。ダグラスは、独立宣言を根拠

にして、アフリカ系アメリカ人もまた合衆国市民であり、奴隷制を即時廃止すべきことを訴えていきました(紀平　二〇二二：一二二頁)。

一八四九年頃、同じメリーランド州の奴隷農場から脱出し、「地下鉄道運動」のメンバーの家庭(「駅」と呼ばれていました)を渡り歩いて昼間を過ごし、夜の道をひたすら北のペンシルヴェニア州に向かって逃亡した女性が、ハリエット・タブマン(Harriet Tubman　一八二二―一九一三)です。タブマンは子どもの頃、奴隷監督が別の黒人少年に向けて投げた秤《はかり》の分銅の直撃を受け、頭蓋骨陥没の大怪我を負いました。そのときにできた額の傷を隠すために、彼女はいつもターバンを巻いていました。自由になった後のタブマンは、自分の家族や仲間を逃亡させる活動を始めます。しかもそれは当時「車掌」と呼ばれた任務で、奴隷農場に潜入して連れ出す命がけの行動でした。タブマンは自分が支配されていた農場にも行きますが、夫が別の黒人女性と暮らしているのを知り、失意のうちに去ります(岩本　二〇一三：七五頁)。それでも「地下鉄道運動」を続け、合計一三ないし一四の潜行を重ねて七〇人あまりの奴隷を救出しました。「地下鉄道運動」のなかで、危険な「車掌」を担った女性は、彼女だけだったと言われています。タブマンは、人々からユダヤ人の出エジプトの指導者に因《ちな》んで「モーゼ」と呼ばれていました。しかも彼女は、救出して終わりにするのではなく、後の黒人たちの生活の自立を支援する活動に献身していきました。それは南北戦争後の「難民支援」活動につながっていきます

（上杉　二〇一九：一一六頁、一五〇頁）。

ダグラスもタブマンも「歴史総合」や「世界史探究」の教科書には登場しません。ダグラスが、南北戦争後の一八六八年に出版されたタブマンの伝記に推薦文を寄せて、次のように書いています。

私は昼間活動し、あなたは夜活動されてきました。私は多くの聴衆から拍手をいただき、多方面の方々から認められ、償われてきました。それに対して、あなたがなさってきたことを見てきたのは、あなたが救い出した少数の囚われの男女、恐れ震え、痛む足を引きずって歩いてきた男女だけでした。そして、この人たちの心からの「神のご加護を」との感謝の言葉だけがあなたに対する償いでした。真夜中の空と静かな星だけがあなたの自由への献身と英雄的行為の証人でした。（上杉　二〇一九：二四七頁）

「真夜中の空と静かな星」だけがタブマンの「英雄的行為の証人」だった、というダグラスの言葉には、命がけの逃亡を経験した者だからこその歴史のイメージがあります。**世界史を見るときに、著名な大統領の名前を結んで星座を作るのと、それとも「真夜中の空と静かな星」だけが証人である普通の人の生き方を含めて星座を作るのとでは、歴史像はどう違ってくるで**

しょうか。ちなみに合衆国ではオバマ大統領の時代にタブマンの肖像を新20ドル紙幣に採用することに決めましたが、トランプ大統領は「タブマン像を使うなら(ほとんど使用されない)2ドル紙幣にすればいい」と発言してこれを棚上げにし、バイデン政権になって再度タブマンの肖像を採用する手続きが開始されました。現在の20ドル紙幣の肖像は、先住民を迫害したジャクソン大統領ですが、新紙幣では彼の肖像が裏面になる予定です。タブマンも含めた星座として歴史を描くのかどうかは、現代のアメリカ国民が直面している課題でもあるのです。

「人間はすべて平等に創造されている」という人間観

ダグラスたち奴隷制廃止論者が拠り所にしたアメリカ独立宣言は、人間と政府についてこう論じました。

われわれは以下の原理は自明のことと考える。まず、人間はすべて平等に創造されており、創造主から不可譲の諸権利をあたえられており、それらのなかには生命、自由、幸福追求の権利がある。次に、これらの権利を保障するためにこそ、政府が人間のあいだで組織されるのであり、公正なる権力は被治者の同意に由来するものである。(歴史学研究会編　二〇〇八：一六一頁)

この宣言のなかの「人間」が何を意味するのかが、後の歴史のなかで問われていきます。ダグラスの『北極星』の題字の下のマストヘッドには、「権利は性にかかわりなく——真理は肌の色にかかわりない——神はわれわれ万人の父であり、われわれはみな同胞である」と書かれていました(本田 一九八七：一二五頁)。

その独立宣言を起草した中心人物が、トマス・ジェファソン(Thomas Jefferson 一七四三—一八二六)です。独立戦争中はヴァージニア州の知事やフランス公使をつとめ、初代国務長官、副大統領、そして第三代大統領を歴任しました。でも世界史の授業では、独立宣言を起草したことと共和派の大統領としてルイジアナ購入をしたことに言及されるくらいで、実は影の薄い人物です。

しかし、ジェファソンは、政治家であると同時に哲学・文学・自然科学・建築学・農学・言語学などに深い関心を寄せており、大統領退任後にはヴァージニア大学を創立して自ら学長に就任したほか、アメリカ哲学協会会長にも就任するなど、とても多彩な活躍をしました。一八一五年に彼の蔵書が文化振興のために——そして彼自身の経済逼迫《ひっぱく》の改善のために——政府に売却されていますが、その冊数は六七〇〇以上に及びました。そこで、ジェファソンの「人間はすべて平等に創造されている」という理念が、イギリスの思想家ジョン・ロックの影響によるものだとしても、本当に彼がそう考えていたのかを見つめ直してみたいと思うのです。

ジェファソンの『ヴァージニア覚書』を読む

彼が生前に刊行した唯一の著書が『ヴァージニア覚書』です。これは、独立戦争を支援したフランス政府がアメリカについての詳細な情報を望み、それを受けたヴァージニア州知事のジェファソンが、駐米フランス公使館の書記官マルボアによる二三個の問いに対する回答という形式で書き上げた著作です。一七八一年には完成していましたが、出版できたのはフランス公使としてパリに渡っている一七八五年であり、限定二〇〇部の匿名の本でした。奴隷制とヴァージニアの政治の現状を批判するくだりが、アメリカ社会で物議を醸すことをおそれたために、ロンドンで最初の公刊版が出たのが、ようやく一七八七年のことになります。ジェファソンは、本書でヴァージニアの地理・自然・政治・産業を詳細に報告するのですが、それを事実の羅列ではなく、先行研究を参照しながら世界史的な視野でアメリカのことを考察しようとしています。『ヴァージニア覚書』もまた、ひとつの「世界と向き合う世界史」なのです。

たとえば、ジェファソンは、一八世紀フランスを代表する博物学者ビュフォンが、アメリカ大陸の生物はユーラシア大陸のそれに比べてサイズが小さく、特に先住民は身体・感覚・精神の活力がないと断じていることを取り上げ、これは「実に心痛む描写」であり、「ここに描かれた情景には原型がない」と強く反論します。ジェファソンは、先住民が白人と比べて熱情が欠けていることはなく、勇敢で、大群の敵に対しても自らを守ろうとしており、子どもを愛して大切にしていると述べ、ビュフォンの偏見とともに、かつて先住民を奴隷にしていた自分たちを厳しく批判するのでした(ジェファソン 一九七二：一〇一―一〇七頁)。

ところがジェファソンは、黒人奴隷に対する報告になると、論理が屈折してきます。そもそもジェファソンは、独立宣言の原案でイギリス国王ジョージ3世の非道な政治を列挙するなかで奴隷貿易をあげ、「これはまさしく人間性自体に対する残虐な戦いというべきである」と厳しく批判していました。彼が力をこめたこのくだりは、大陸会議の議論のなかで削除されてしまいます。奴隷貿易はアメリカの北部植民地が推進していたものでもあり、イギリス国王にすべての責任を帰すのには無理がありました。しかし、ジェファソンは『ヴァージニア覚書』のなかで奴隷労働の非人道性をとりあげて次のように論じます。

ただ疑いなくいえるのは、この土地に奴隷制度が存在しているという事実が、われわれヴァジニア人の生活様式に不幸な影響を及ぼしているということである。主人と奴隷との交わりは、もっとも荒々しい感情を絶えずやりとりすることにつきる。すなわち主人の側にはもっとも苛酷な形の専制が、奴隷の側には屈辱的な服従があるだけなのである。われわれの子供たちはこれをみて、そのまねをすることを習い覚える。なぜならば、人間は模倣の動物だからである。(……)こうして子供は、いわば暴虐のなかで育まれ、教育され、毎日それを訓練されているのであるから、当然いやらしい特徴を身につけないわけにはいかないのである。(ジェファソン　一九七二：二九二―二九三頁)

黒人奴隷を支配する白人に人間性の荒廃が起こるだけでなく、その荒廃が子どもたちに連鎖していき、人間の本性を「専制君主」のようにしていったとき、自由を重んずる社会の存続が危うくなると、ジェファソンは考えているのでした。これに続けて「人々の道徳が破壊されるのにともない、その産業もまた破滅に導かれる」だろうと、彼は危惧しています。

ところが、ジェファソンは、次のようにも報告します。

白人が抱いている根強い偏見。黒人にとっては忘れることができない、今までに受けた虐待。新しい怒りの挑発。自然が作りあげた眼にみえる差異。そしてその他にも多くの情況がわれわれを二つの部分にわけ、社会秩序の紊乱《びんらん》をうみだし、それは多分どちらかの人種が絶滅するまで終ることなく続くであろう。(……)

黒人の表情を支配しているあの永遠の単調さ、あらゆる感情を蔽《おお》いかくしているあの黒い不動のヴェールよりも、白人のように赤と白がみごとに混りあい、皮膚の色にさす紅潮の程度によってあらゆる感情が表現される方が、より一層好ましくはないだろうか。さらに加えて、流れるような髪の毛や、より優美な身体の均整。また、オランウータンが自分自身の種族のメスよりも黒人の女性の方を好むのとまったく同様に黒人が白人をより好むことからわかるとおり、黒人自身も白人の方が美しいと判断していること。われわれが、馬や犬その他の家畜をふやすときに、より美しいものをと心がけることは大切なことであると考えられている。それならば、なぜ人間の場合に、そうであってはいけないのだろうか。(ジェファソン一九七二：二四九―二五〇頁)

このジェファソンの文章を要約して、ジェファソンが黒人に語りかけているように表現してみることができるでしょうか。ひとつ前の引用部とあわせて、「私は自由を守るいい人になりたいからあなたを解放するけど、…」につなげて作文してみるとどうなるでしょうか。そしてこのように考えると、白人と解放された黒人の関係はどのようになるべきだと展望することになるでしょうか。「だから…」につなげてその展望を想像して論じてください。

生徒たちの答えは、引用箇所の前段と後段のそれぞれの論理を踏まえているかの事実立脚性と、すでに与えられている前半の文との論理整合性をチェックしていくことになります。たとえば、「私は自由を守るいい人になりたいからあなたを解放するけど、私たちは散々憎しみあってきたし、私はどうしてもあなたを美しいとは思えない。だから私とあなたは離れて生きていったほうがいい」という応答が出てきたとき、生徒たちは、はたと気づくようです。人種差別とは、自分とは関係ない、遠いアメリカの出来事だと思ってきたけれど、その心の動きは、自分たちの日常生活のなかにもあるのではないかということに。ヒューマニズムを守りたいと思っても、すでに憎しみと警戒の連鎖があり、相手の蔑視が美の基準も含めた感性のあり方に習慣化されているとき、相手を隔離したいという欲望が生じます。

ジェファソンは、解放奴隷を「血の交わりのできない所」に移住させることを構想しました。同じように黒人をアフリカに移送することを、『アンクル・トムの小屋』のストウやリンカンも主張しました。すべての黒人の移送など不可能ですから、やがて南北戦争後のアメリカ社会では人種隔離が進められることになります。つまり、奴隷解放宣言を受けて黒人の基本的人権が憲法修正第一三・一四・一五条で実現したにもかかわらず、連邦最高裁判所は、一八九六年の「プレッシー対ファーガソン裁判」において「分離しても平等」と、人種隔離を容認する判決を出しました。黒人の血は八分の一で見た目も白人だったホーマー・プレッシーが、東ルイジアナ鉄道の白人専用列車に乗って移動を拒んだところ逮捕され、マサチューセッツ州裁判所でファーガソン判事に有罪判決を出されたことを不服として上告した裁判の判決です。「分離しても平等」の原則は、一九五四年の「ブラウン対教育委員会裁判」で否定されるまで、五八年間にわたって合法とされ続けるのです。

一点、補足をすると、『ヴァージニア覚書』では先住民に対して温かいまなざしを注いでいましたが、実際のジェファソンの先住民政策は、ヴァージニア州憲法の草案に、議会が先住民の土地を購入できるという条文を書き込もうとしたり、チェロキー族をミシシッピ川以西へ移動させて「撲滅(extermination)」するのは彼らの野蛮な行為ゆえに正当化されうると、ジャクソン以前に強制移住のアイデアを述べたりするものでした。北米大陸はあくまで白人が居住すべき空間であるという思想が根底にあったからです(明石 一九九三：七九頁、八一頁、一二三頁)。

以上のように、私は主体化作用の対話をするとき、「AだからB」という歴史解釈(因果説明)になるべく中間項を入れ込むように心がけています。「AだからC・D、ゆえにB」という論理です。要素分割のファクト・チェック方法でもあります。「ジェファソンは人種差別主義者だったから人種隔離を唱えた」という解釈にとどまるのではなく、「ジェファソンは奴隷解放を求める一方、白人と黒人の共存が歴史的にも本性的にも困難だと考えたから、人種隔離を唱えた」というように考えてみるのです。そうすることでもっとその先を考えたくなり、問いの連鎖が生じてくるからです。たとえば、**黒人は美しくないという白人の発想は、なぜそう思うのでしょうか**、という問いが新たに浮かびます。それはジェファソンが子どもの育ちについて論じた習慣形成の問題ではないのかなど、さらに問いがうまれます。そして、**憎しみの連鎖を乗り越えて人類の共存は可能か**、という世界史を貫く問いが立ち上がってくるように思います。

ジェファソンとサリー・ヘミングス

解放した黒人と白人は共存できないと『ヴァージニア覚書』で書いたジェファソンは、ヴァージニア州のプランテーションの経営者であり、最大時には二六七人の奴隷を所有していました。奴隷主としてのジェファソンは、奴隷たちに対して思いやりがあった半面で、奴隷が度重なって逃亡を企てた時には他の奴隷たちの面前で鞭打ちの罰を命じました。また、五〇人以上の奴隷を売買し、奴隷の数を増やすために女性の奴隷を購入することを冷徹に望みました(明石 二〇〇三：一二一頁、一三三―一三四頁)。

ところが大統領在職中の一八〇二年、ジェファソンが所有する奴隷との間に子どもをもうけているという告発記事が新聞に掲載され、社会に衝撃を与えています。記事の書き手はキャレンダーという新聞編集者で、大統領になった旧知のジェファソンから公職に任命してもらえると期待していたのに裏切られたことへの腹いせとして、ジェファソン攻撃を行ったのでした。ジェファソンは記事を黙殺しますが、新聞にはジェファソンを風刺するさまざまな戯《ざ》れ歌《うた》が掲載されていきました。噂になった女性の奴隷とジェファソンとの関係は次のようなものでした。

一七八二年、ジェファソンの妻マーサは、六人目の子どもを出産した後、体調を悪化させ、三三歳の若さで亡くなりました。三人の子どもはすでに夭折していたので、三人の女の子(パッツィー、ポリー、ルーシー)が遺されました。マーサ臨終のとき、ジェファソンは失神し、三週間、自室にひきこもったと言われています。彼は、重篤な病状の妻に、決して再婚しないことを誓っており、実際、妻の死後に法的な婚姻関係をむすぶことは一切ありませんでした。

ジェファソンはマーサの父ジョン・ウェイルズが亡くなったとき、その所有する奴隷ヘミングス一家を引き取っていました。女性の奴隷エリザベス・ヘミングスと、ウェイルズが彼女との間にもうけた子どもたちです。彼らは、侍従をつとめる者、料理長をつとめる者など、ジェファソンの身近なところで活躍していきます。そしてエリザベスの娘のサリー・ヘミングス(Sally Hemings 一七七三頃―一八三五)もそのなかにおり、妻マーサが亡くなったときは、まだ一〇歳にもなっていない年齢でした。サリーは、マーサと父を同じくする異母姉妹という関係にあり、四分の一の黒人(四分の三の白人)でした。おそらくジェファソンにとって、亡き妻の面影を宿している存在であったと思われます。

一七八四年、ジェファソンは駐フランス公使となり、フランス革命勃発の一七八九年までパリで暮らします。ボストンを出港するとき、彼は年長のパッツィーだけを連れ、ポリーとルーシーをアメリカに残しました。しかし翌年の一月、まだ二歳のルーシーが百日咳にかかって病死したという悲報がパリに届きます。妻が命をかけて出産した子どもまでもが早逝したことを知ってジェファソンはうちのめされ、アメリカに一人残されているポリーを呼び寄せることを決意しました。こうして一七八七年、ロンドンを経由して、八歳のポリーと家内奴隷のサリー・ヘミングスがパリにやってきました。サリーは一四歳でした。

一七八九年七月のフランス革命勃発のときジェファソン一家はパリにいました。バスティーユ監獄襲撃の数日後、彼はトマス・ペインに、「この五日間にパリで繰り広げられたもの以上に危険な戦場を私はアメリカでも経験したことがない」と述べていました。ジェファソンにとって、フランス革命の指導者ラファイエットは、かつてアメリカ独立戦争のときに軍の指揮をとってくれた同志です。八月二六日に国民議会が採択した「人間と市民の権利宣言」(人権宣言)をラファイエットが起草したとき、今度はジェファソンが助言していました(ミーチャム二〇二〇：上巻三二五―三二六頁)。その年の九月、ジェファソンは二人の娘とサリーとともにパリを離れ、再びアメリカに戻って独立後の政治の舵取りを行うようになります。ワシントン大統領から請われ、初代国務長官に就任していくのです。

アメリカに戻ってから、サリー・ヘミングスは男の子を出産します。その子は早逝しますが、ジェファソンの家で奴隷として生活する日々のなかで、他に五人の子を産んだと言われています。キャレンダーの暴露記事のあとも、サリーの子どもたちの父親がジェファソンであったのかいなかが論争の的になってきました。ひとつの決着がついたのは、ジェファソンの死後一七二年が経った、一九九八年一一月五日発行の『ネイチャー誌』に、サリーの子孫についてDNA鑑定を行った結果、サリーの長子トムについては証明できないが、末子エストンについてはジェファソンが父親である可能性がきわめて高いという論文が掲載されたことでした。トマス・ジェファソン記念財団は、二〇〇〇年に鑑定結果を支持するという声明を出します。一方、これを不服とする人々がトマス・ジェファソン遺産協会を組織し、DNA鑑定を否定する報告を出しました。この間の一九九九年、ジェファソンの子孫たちからなるモンティチェロ・アソシエーションは、サリーの子孫三四人をエストン系に限ることなく、年次集会の昼食会に招きました。しかし、数年にわたる議論の結果、サリーの子孫たちのアソシエーションへの加入は否決されたのでした(明石 二〇〇三：三三四頁、三四〇―三四四頁)。

さらにその先を歴史対話する

こんにちでは、多くの歴史家が、サリーはジェファソンの性暴力の犠牲になったという見解をとっています。奴隷国家アメリカで女性の奴隷がそのような悲劇に見舞われることは、各地で頻発していたからです。しかし同時に、**二人の間に決定的な支配・服従の関係があったこと**

を認めつつも、それだけではない何かも二人の間にはあったのかもしれないという見解があります。次の事実を検討しながら、皆さんは二人の関係をどう考えるでしょうか。そして、あえてジェファソンの私生活に立ち入って考察をすることに果たして意味があるでしょうか。

①ジェファソンとサリーが生活していたパリでは、奴隷が自由を求めれば認められる環境にありました。サリーの息子マディソンが後年に回顧している内容によれば、ジェファソンが帰国したいと言ったとき、妊娠していたサリーは自由身分を失うことをおそれて拒み、ジェファソンは、サリーの子どもが二一歳になったときに解放することを約束したのでした(ミーチャム二〇二〇：上巻三一九―三二〇頁)。

②ジェファソンが政治のためにニューヨークに移っても、サリーはモンティチェロの屋敷に住み続けて、彼の私室や衣類の管理などにつとめました。サリーの二人の子は一八二二年に逃亡しましたが、ジェファソンは捕捉をしなかったと言われています。また、彼は遺言の「補足」において、サリーの二人の子を含む五人の奴隷を解放することと、彼らがヴァージニアで生活を続けられるよう配慮してほしいことを指示していました。サリーはジェファソンの死後、解放されて、モンティチェロの近くに息子の一人と暮らしました。ちなみに一八〇六年以降のヴァージニアでは、解放された奴隷は直ちに州外に出るきまりになっていました(明石　二〇〇三：一四一―一四二頁)。

そもそも二人の関係を詳しく物語る史料がないなかで、私は、限られた回顧・状況証拠から歴史実証の対話を試みてみたいと考えます。生徒の多くは、支配・服従の関係に他ならないとジェファソンを厳しく批判します。それはそのとおりなのですが、別の角度から見たときに、サリーには自分自身や自分の子どもたちを守ろうとする戦略があったのかもしれないと、抑圧される側の行為主体性に着目する意見が出てきたり、一部の歴史家のように、二人の間には愛のようなものもあったのではないかという意見も出てきたりします。いや、二人の間の心のありようを表現するようなことばを、そもそも私たちが持っているのかということを考える必要があるのかもしれません。

では、このように政治家の私生活を見ることに意味はあるのでしょうか。政治の結果責任だけを見るべきだという「意味はない」派の見解は、もっともです。同時に、人種隔離はやむをえないという思想の持ち主が、たとえそれがごく特定の人であったとしても、目の前の黒人たちと離れないように願っていたという事実は、人種隔離の論拠自体を掘り崩しているという「意味はある」派にも、学ぶところがあると思っています。世界史上にあふれている抑圧・差別の思想が、当の本人の内側から崩れていく可能性を見ることも、希望の在処を探究するチャンスになりうるのかもしれないからです。

「人種」という概念を改めて定義する

ここでこれまでの私の語り方そのものを振り返る必要が生じます。そもそも四分の三の白人であるサリーを「黒人」という概念で語ること自体が誤りではないのかと、自分への問いかけをしてみなければなりません。実際に、サリーの子どもたちは白人として生きたと、息子の一人マディソンが述べています（ミーチャム　二〇一〇：下巻三二〇頁）。でも現代の私たちは、サリーと子どもたちを「黒人」という概念でとらえているのです。

そもそもヴァージニアでは植民地時代の一七〇五年に「奉公人と奴隷に関する法」が定められ、奴隷の母親から生まれた子どもは父親の身分にかかわらず奴隷とされることが立法化されていました。また、ヴァージニアをはじめとする各地の州で異人種間結婚禁止法が整備され、人種混交がタブー視される一方、実際には多くの人種混交が起こっていきます。そのようななかで、祖先に一人でも黒人がいた場合にその人物は黒人に分類される「血の一滴の掟《ワンドロップ・ルール》」が広まっていきました（梅﨑・坂下・宮田編　二〇二二：一一頁）。**このような歴史を見ると、「人種」という概念が、人間の皮膚の色や頭蓋骨の形状にもとづく生物学的な分類だという社会通念は、正しいと言えるでしょうか。「人種」という概念を、改めて定義し直すとすれば、どのような定義が可能でしょうか。**この問いが難しいと考える生徒にはヒントを提供します。第四四代合衆国大統領バラク・オバマが、ケニア出身の父とカンザス州出身の母の間の子、つまりミックスルーツなのに、黒人という点ばかりがクローズアップされるのはなぜだろうかということを念頭におきながら、「人種」の再定義をしてみましょう。

以上の授業から浮かび上がってきたことは、「人種」とは、そもそもグラデーションがかかった人間の多様性を、差別のまなざしのもとで人為的に何らかの基準で分類するものだという点です。そうした人間を分類する差別のまなざしは、古くから存在してきたわけですが、一八世紀から一九世紀にかけての博物学者たちの著作によって科学の確かな知見であると考えられるようになります。たとえば、植物分類で有名なカール・リンネが、人間をアメリカ人(先住民)・ヨーロッパ人・アジア人・アフリカ人に分類し、前述したジョルジュ＝ルイ・ビュフォンが、最も美しい白人を人間の原型とする一方、黒人は暑い気候のなかで退化した人間であると見なしました。そして二人より少し後の時代になるヨハン・フリードリヒ・ブルーメンバッハが、収集した各地の頭蓋骨の形状をもとにして、人間を最も美しい白人のコーカサス、黄色のモンゴル、黒いエチオピア、赤いアメリカ、黒いマレーの五つに分類し、ほぼ同時代のジョルジュ・キュヴィエが、白人・黄色人・黒人という、人口に膾炙《かいしゃ》する三分類法を提唱したのでした(平野 二〇二二)。

一九世紀のアメリカ合衆国に戻るならば、南北戦争期の奴隷解放と市民権の拡大は、一八七〇年代後半から南部諸州での黒人の投票を制限する政策によって骨抜きになり、人種隔離政策が社会に広がっていきました。黒人は二級市民の扱いを受け、流入する移民については、排華移民法(一八八二年)、排日移民法(一九二四年)などにより、アジア系の人々が「帰化不能な外国人」として市民権から排除されていきました。そして黒人について適用されていた「血の一滴の掟」が、やがてアジア系にも適用されるようになっていきます。つまり、南北戦争と奴隷解放によって生じた産業労働力の不足を、アメリカ社会は移民によって補おうとしたわけですが、その際、受け入れる移民を人種・民族・セクシュアリティ(性のありよう)・障がいの有無などによって厳しく選別する「移民国家」が建設されていくのです(貴堂　二〇一九：一六一―一六二頁)。「奴隷国家」が南北戦争を経て「移民国家」に変容したとしても、人種主義が優生学の影響を受けながら強化されていったのでした。

つまり、「歴史総合」が対象とする「近代化」の時代とは、単に国民国家が成立しただけでなく、「人種」という人為的な発想が科学の装いをまといながら人間を差別・抑圧する、「人種主義(racism)」が、国民国家の形成と並行しながら、世界各地に広がっていった時代であると考えることができるでしょう。ジェファソンを授業のテーマにしたのは、根拠の問い直しや仮説の検証・構築のための対話を行いながら人種主義に着目することで、「歴史総合」の欧米社会を理想視しがちな歴史の見方を問い直そうとしたからなのでした。

2 人種主義に着目して国民国家を再考する

人種主義の世界への広がり

では、人種主義の歴史を時空間拡大作用の対話によって広い視野から捉え直してみましょう。まず、**「血の一滴の掟」のような発想が社会に適用されたのは、アメリカの歴史だけのことでしょうか。中学校までの歴史の既習内容のなかで、同じような政治が行われた事例をあげることができるでしょうか。その事例とアメリカの歴史の共通点と相違点は何でしょうか。**この問いに対して生徒たちは、ナチス・ドイツのユダヤ人迫害をあげてきます。もちろん、ナチス・ドイツによる徹底した絶滅政策は、合衆国の人種隔離政策とは質を異にしているわけですが、それでも両者には排除したい他者を執拗に区別した共通点があります。

ユダヤ教徒を「キリスト殺しの民」と見なすキリスト教社会の宗教的な差別意識が、一九世紀後半になるとユダヤ教徒を「セム人」という人種としてとらえる反ユダヤ主義(反セム主義)に強化されるようになります。これまではイスラーム教徒に重ね合わされていたセム系の言語を話す人々の概念が、人種としての「ユダヤ人」を社会から排除するための概念になっていったのです。一八七九年のドイツでは、ヴィルヘルム・マルの『非宗教的観点から考察したドイツ性に対するユダヤ性の勝利』という反ユダヤ主義を煽る小冊子がベストセラーになり、同年にマルは反ユダヤ協会を設立しました。そして一八九九年にはナチスに大きな影響を与えたヒューストン・スチュアート・チェンバレンの『一九世紀の基礎』が刊行されます。チェンバレンは、チュートン人(ゲルマン人)は優れた者どうしのかけ合わせの中から形成された最も高貴な人種であると、ユダヤ人と対比しながら論じ、チュートン人の純血性を守るべきことを主張しました(平野　二〇二二：一七一―一七七頁)。それは、遺伝と優生学のフレームを利用して、人種主義をより一層ナショナリズムの方向に煽る思想でした。

ドイツの政権の座についたナチスは、一九三五年にユダヤ人を選挙権や公職から排除するニュルンベルク法を制定しますが、そこで大問題になったのはユダヤ人とそうでない人間をどの基準で線引きするかです。ニュルンベルク法の施行令を立案する会議において、重要な情報を提供したのは、アメリカ法を現地で学んだ経験を持つ若き法律家ハインリヒ・クリーガーでした。彼は著書のなかでジェファソンとリンカンを英雄視しており、それは二人が白人と黒人の共存不可能を見抜いた人物であるからでした。クリーガーは、アメリカ社会の異人種間結婚禁止法や「血の一滴の掟」のことを会議で詳細に説明していきます(ウィットマン　二〇一八：一二八―一三三頁）。その際にナチスですら悩んだのはアメリカの「血の一滴の掟」の容赦のなさでした。ドイツ社会では、祖先がユダヤ教徒であったとしても、改宗している者、無神論である者などが無数に存在しており、それらをすべて摘発してひとつのカテゴリーにまとめあげることは不可能に近いことでした。結果的に、ドイツ国公民法（ニュルンベルク法）第一次施行令は、次のようなものになりました。**アメリカの人種隔離政策の影響は、この施行令のどの部分に見られるでしょうか。**

第五条
一　祖父母の少なくとも三人が完全ユダヤ人である者はユダヤ人である。
二　祖父母の二人が完全ユダヤ人である混血児は、(a)この法律の公布時点でユダヤ教信徒共同体に所属していたか、もしくは公布後に所属を認められた場合、(b)この法律の公布時点でユダヤ人と結婚していたか、公布後に結婚した場合は、ユダヤ人とみなされる。（ウィットマン　二〇一八：一四三頁）

つまり、「血の一滴の原則」が施行令に盛り込まれることはありませんでしたが、異人種間の結婚を禁止するという考え方はここに転用されていったのだと考えられるでしょう。こうしたアメリカの政治がナチスに影響を与えたことに注目する歴史叙述は、「世界のつながりを考える世界史」の歴史連関分析であり、英米仏の歴史を立憲主義発展のモデルだと単純化しがちな歴史類型論を相対化することになるでしょう。

近代日本の人種主義

さらに私たちは問いを重ねなければなりません。**近現代の日本列島の歴史のなかで人種主義が見られた事例はあったでしょうか。**このような問いができるようになることが、「歴史総合」の大きな可能性なのです。

ジェファソンがラファイエットの人権宣言起草に協力していた一七八九年、日本列島ではクナシリ島と対岸のメナシ地域(現在の標津《しべつ》・羅臼《らうす》)のアイヌたちが蜂起し、二カ月後に鎮圧されました。クナシリ・メナシの戦いとよばれています。一七世紀から松前藩は蝦夷《えぞ》島を「和人地」と「蝦夷地」に区分しており、「蝦夷地」では藩主や上級家臣が商場《あきないば》でアイヌとの独占的な交易をして、クナシリやキイタップ(現在の根室支庁管内に相当)にも商場が設けられていました。和人(アイヌ以外の日本人の自称)の商人たちが、アイヌが捕獲するラッコや鮭・鱒・鷲などを交易によって入手していたのです。しかし和人がアイヌを鮭・鱒の〆粕《しめかす》生産に強制的に動員して、従わない者に暴力をふるったり、アイヌ女性に対する性暴力を恒常的に行ったりしたことから、アイヌたちは蜂起し、七一人の和人を殺害しました。松前藩は、蜂起に同調しなかったアイヌを協力者にしながら蜂起を鎮圧し、乱の指導者ら三七人を処刑します。これはアイヌの松前藩に対する最後の武装闘争となりました(榎森　二〇〇七:二九五頁)。このときの協力者の首長を描いた蠣崎波響の絵を見ながら、加藤公明が討論型授業を行ったことを前述しました(二〇八頁参照)。儒教的な世界観にもとづき、アイヌは礼節を知らない野蛮人であるとするまなざしが、蠣崎の絵にはありました。

明治政府は一八六九年の戊辰戦争勝利を受けて、蝦夷島を「北海道」という名称で内国に編入し、一八七一年の戸籍法でアイヌを日本の「国民」としました。そして明治政府は本州の大資本に急激な北海道開拓をさせ、そこに小作・貧農を移住させていきました。その一方でアイヌは漁猟・狩猟に利用してきた土地を取り上げられ、伝統的な猟の方法も禁止されました。明治政府はアイヌを「旧土人」と法的に位置づけ、一八九九年の北海道旧土人保護法によってアイヌに農地や就学機会を供与することを定めます。この法案の制定過程の議論のなかでは、アイヌのこんにちの衰退は適者生存の「自然の法則」のためであるとする意見や、アイヌは「劣等の人種」ではないという意見などが交わされ、結果として「帝国臣民」であるアイヌに一定の保護を施す方針が定められました。保護といってもアイヌを圧迫した和人の側の責任を問うことはなく、農地には湿地や傾斜地など荒地があてがわれ、また教育においてはアイヌ語をはじめとする独自の文化を維持することが否定されて同化政策がとられたのでした。そもそも北海道旧土人保護法自体が、アメリカの先住民政策である一般土地割当法(通称ドーズ法)をモデルにしていたと言われています。しかし日本社会では保護など無用であるという主張も出されていました。元樺太庁長官の平岡定太郎は、一九一八年の「あいぬ人種処分論」で次のように述べました。

現代あいぬは、何等人類界の幸福に貢献する所なし。故に其生存、滅亡は自然の儘《まま》に放任し、特に人為を以て不自然なる保存の必要なく、又保存せんとするは不可能に属すと云ふに在り。他は大和民族としての立場より論ずるものにして、我国は古来種族の純粋を誇りとなす、此種族純粋の永保るは我国人主義なり。(……)あいぬの混化は日本人中にあいぬの血液を混入するものにして我国粋保存の主義に反せり。(シドル　二〇二一：一二二頁、旧字体を改)

この平岡の主張と前述したニュルンベルク法施行令には、どのような共通点があるでしょうか。両者には、劣った人種と自分たちを線引きして、自分たちの純粋さを保とうとする世界観があります。平岡は続けて、アイヌは固有の風俗・言語をもっているから歴史学や人類学のために保護されるべきであり、指定された地域に日本人との結婚を禁じられた状態で生活していけばよいと、人種隔離政策を論じています。
また、一九一〇年から使われた国定教科書『尋常小学読本』には「あいぬの風俗」という単元があり、顔への入れ墨や熊祭などの風俗が紹介されたのち、次のような記述が続きました。

あいぬの言語は日本語とは全く異なり。彼等は元は読み書きも知らず、算数の考もとぼしかりしが、今は内地人と同じく、読み書き計算をもなし得るものあるに至り、中には小学校教員となれるものもあり。（シドル　二〇二一：一三七頁、旧字体を改）

この記述に対して文部省から教科書使用の報告を求められた埼玉県女子師範学校は、「中には小学校教員となれるものさへあり」と書くべきであり、このままでは小学校教員への侮辱であると答えました。このように明治期の日本社会では、これまでのアイヌを野蛮視する見方を受け継ぐとともに、そこに進化論や優生学の科学的に見える人間観を接木して、アイヌを「劣等な人種」と見なしていったのです。異なる民族を否定する政策や、政府と大資本による資源の収奪、進出時の民衆の国家的動員など、明治政府がアイヌに対して行った政策は、単なる「開拓」ではなく、「東アジア侵略の第一段階」とも言えるものでした（井上　二〇〇六：二三四頁）。

近現代の日本列島の歴史のなかで人種主義が見られた他の事例はあったでしょうか、というさらなる問いかけも必要です。多様な考えるべきテーマがいくつも浮かんでくるなかで、「「人種」という語りこそが、様態を変えつつも脈々と今日まで部落問題を支え続けてきたものである」とする歴史の見方があることも紹介しておきます（黒川　二〇一六）。また、現代の在日コリアンに対するヘイトスピーチなども深刻な事例としてあげられるでしょう。

そこでまとめの問いに入ります。**アメリカの南北戦争後の人種隔離、ドイツ帝国成立期の反ユダヤ主義、明治維新期のアイヌへの抑圧など、法的に平等な「国民」がうみだされようとしていた一九世紀後半に、逆に人種主義が広がりを見せ、社会のなかの抑圧と分断を深刻化させていったのは、なぜでしょうか。それは人間のどのような心の動きによるものだと考えられるでしょうか。**この問いを考えるために、人種主義に抑圧された側に立つ二人の人物の歴史実践に視点を移してみましょう。

「涙を知っている」者の同胞意識

一人目は、知里《ちり》幸恵《ゆきえ》（一九〇三―二二）です。幌別《ほろべつ》のアイヌの両親のもとに生まれた彼女は、六歳のときに旭川・近文《ちかぶみ》の伯母のもとに引き取られ、旭川の尋常小学校・高等小学校から唯一のアイヌとして旭川区立女子職業学校に進学しました。好奇の目にさらされながら、彼女は孤独に耐えて学び続けました。同級生の一人は、後年、彼女のことを「どうかして、皆と一緒に笑いたい、と思うことがあっても、そんなとき、片ほほから笑いが消えていくようでした」と回想しています(藤本　二〇〇六：一一六頁)。やがてアイヌの口承叙事詩ユカラの収集を行っていた言語学者・金田一京助と出会った知里は、自らの力でアイヌ語のユカラをローマ字に表記して誰もが発音できるように工夫し、さらに日本語に翻訳することを目指しました。彼女は重い心臓病の身体を酷使して『アイヌ神謡集』の執筆活動を続け、最後の四カ月は東京の金田一の家に住み、「私は書かねばならぬ、知れる限りを、生の限りを、書かねばならぬ」(一九二二年六月一日の日記)と、本の完成を急ぎました(知里　一九九六：一二三頁)。そして最後の校正を済ませ、「ああ、これで全部済みました」とペンを置いて寝床に入った夜、容態が急変して帰らぬ人になりました。わずか一九年の短い生涯でした。

知里は、アイヌ語の優れた書き手であると同時に、日本語の卓越した作家でもありました。彼女の遺作『アイヌ神謡集』は一九七〇年代になって再び注目されるようになり、今でも多くの読者に愛されています。冒頭は、梟《ふくろう》の神が飛びながら歌う、「銀の滴《しずく》降る降るまわりに／金の滴《しずく》降る降るまわりに」とリフレインする有名な一節から始まります。滴が大地の上に恵みのように降り注ぐさまが、目に浮かぶようです。知里は、死の二カ月前の七月一二日の日記にこう書いています。

私はアイヌであったことを喜ぶ。私がもしかシサム〔アイヌから見た和人の呼称〕であったら、もっと湿ひの無い人間であったかも知れない。アイヌだの、他の哀れな人々だのの存在をすら知らない人であったかも知れない。しかし私は涙を知ってゐる。神の試練の鞭を、愛の鞭を受けてゐる。それは感謝すべき事である。

アイヌなるが故に世に見下げられる。それでもよい。自分のウタリ〔アイヌ語で仲間のこと〕が見下げられるのに私ひとりぽつりと見あげられたって、それが何になる。（……）おゝ、愛する同胞よ、愛するアイヌよ!!!（知里　一九九六：一七七―一七八頁、文中〔　〕内は引用者による注釈）

「涙を知ってゐる」ことが「感謝すべき事」であり、それをくぐりぬけるから私たちは「ウタリ（同胞、仲間）」なのだという世界観を知里は抱いていたのです。そして知里にとって、同胞意識の根拠にあるものは、ユカラに代表されるアイヌのかけがえのない文化でした。その文化の独自性に対する誇りと被抑圧者としての歴史経験が、「私たち」はアイヌであるという民族意識をかたちづくっていきます。知里はその先駆的な存在であったと私は考えます。

もう一人注目したいのが、人種隔離政策が続いていた南アフリカ共和国で一九六〇年代後半から七〇年代にかけて抵抗運動を続けた、スティーヴ・ビコ（Stephen Biko　一九四六―七七）です。コーサ人の貧しい家庭に生まれた彼は、医学を志して大学に進学しますが、人種隔離に反対する組織がいずれも白人リベラリストに指導されていることに疑問を持ち、「黒人」のみが会員になれる南アフリカ学生機構(SASO)を結成し、初代議長に就任しました。そして彼は「黒人意識」をもつことの意義を主張し、人種隔離政策の撤廃や普通選挙の実施、社会主義などを目指して活動を続けました。南アフリカ政府はビコを危険視して、公衆の面前で演説をすることはもちろん、一度に二人以上の人間と会うことや、出版物が彼の言葉を引用することも禁じました。そして逮捕された彼は、警察の拷問によって三〇歳の若さで非業の死をとげたのです。

ビコは、一九七一年にSASOの指導者養成講座のために書いた「黒人意識の定義」というレポートのなかで、「黒人」とは何かについて明解な定義を与えました。

一　黒人であることとは、色素の問題ではない――黒人であることとは、精神的態度の反映である。

二　あなたは、自分自身が黒人であると述べさえすれば、そのことによって解放に向かう道を歩み始め、あなたが屈従的な存在であることを示すスタンプとしてあなたの黒さを利用しようと狙うあらゆる勢力に抗するたたかいに、身を投じたことになる。(ビコ　一九八

八：九六―九七頁）

つまり、「黒人」を運動の主体とすることは、一見すると皮膚の色という白人の側の線引きに従うように見えながら、そうではなく、抑圧されている者たちが解放を求める「精神的態度」を共有することなのだと言うのです。実際、SASOの会員のなかには、インド人やカラード（ミックスルーツの人々）も含まれていました。私は、ビコのこの文章を読んだとき、知里幸恵が書いた「涙を知ってゐる」者の同胞意識のことを真っ先に想起しました。

つまり、「人種」は抑圧を行う支配者側の線引きなのですが、その抑圧のなかから、抵抗する者どうしの連帯が生み出されることがあります。そしてその場合の新たな同胞意識は、単なる血統の問題だけではない、他者に開かれた何らかの根拠を内に秘めることになります。それはかけがえのない文化の発信であったり、解放を願う精神的態度であったりします。そしてビコに見られるように、押し付けられた「人種」を新たな意味に読み替えていくならば、人間の区別としての「人種」や、科学的な装いをまとった人種主義の「人種」とは異なる、抵抗の根拠としての「人種」と言うことができるかもしれません（竹沢編　二〇〇五：二九―三一頁）。このことを、もう少し広い視野のなかで考え直してみましょう。

「国民」・「民族」・「エスニシティ」を区別しながら世界史を考える

そもそも世界史上のいたるところに、血縁・言語・文化・宗教・歴史・領域などを共有して自分たちの呼称と同胞意識をもつ集団がうまれてきました。歴史学ではこの集団を「エスニシティ(民族グループ)」と呼びます。エスニシティが成立するためには、列挙したすべてを共有する必要はありません。もっと言えば、共有する何かが実際に存在しなくても「共有していると思う」主観性があれば、同胞意識が生まれます。しかもその主観性は、自分の能動性だけでなく、共有するものに自分が生まれつき属しているという運命性(被拘束性)をあわせもっています(スミス 一九九九:二八―三九頁)。複数のエスニシティの間には重なり合いもあるでしょうし、エスニシティが歴史的に変容することもよくあります。重なり合いと言っても、これまで見てきたような血統のグラデーション状態とか、言語や文化などの共有、そして「〇〇人であるとともに◇◇人でもある」という複合的な自己認識など様々です。こうしたエスニシティが一つの国(または国に準じた政治組織)をもつべきだという意識をもったとき、その集団は「民族」と呼びうるものになります(塩川 二〇〇八:三―七頁)。

これに対して、「国民」とは、国民国家の構成員であり、政治を担う主体になります。そうした「国民」の一体感の基礎になるものが、同じ「民族」の人々の間で一つの国家を形成しようとする、「民族」を「国民」に重ね合わせる意識なのです。英語では民族も国民もネイション(nation)です。しかし、一つの国家のなかには、支配的な民族とは別のエスニシティが存在しています。そのとき、特定のエスニシティが国民から排除されたり、国民に包摂されているように見えても実際には差別されたりすることが、繰り返されてきました。エスニシティをあえて自分たちとは違う「人種」として差異化して抑圧することで、支配的な民族内部の政治的対立や貧富の格差を見えにくくすることができたからです。このことが、「国民」がうみだされるときに人種主義が強まる現象を世界各地でうみだしてきた、大きな要因の一つなのだと思われます。

知里幸恵やスティーヴ・ビコを例にしながら考えた、抵抗のなかで見出される「私たち」とは、エスニシティ(または民族)の一つの形です。ゆえに、たとえば歴史叙述のなかであえて「黒人」という概念を使わずに「アフリカ系アメリカ人」と言うのは、エスニシティとしてのありようも念頭においていることになります。国民のなかの複数のエスニシティの共生を実現していくためには、国民が同じ民族の一体感から構成されることを当然視するような国民国家の単純思考を相対化し、乗り越えていかなければならないのだと思われます。そして民族やエスニシティの分布が国境線と必ずしも一致しないことから、共生の実現のためには、国際平和の実現を同時に追求しなければなりません。

「歴史総合」の「近代化と私たち」が、国民国家の形成を重視する学習内容になっているからこそ、国民国家という発想自体がもつ問題点を考えてきました。以上の授業について、皆さんはどのような感想をもったか、自由に歴史批評をしてみてください。そしてその感想を語り合いましょう。そしてもう一つ、国内のエスニシティを「アフリカ系アメリカ人」と呼ぶアメリカ社会に対して、日本では「韓国・朝鮮系日本人」ではなく「在日韓国・朝鮮人」ということばを使っていますが、その違いはなぜ生じているのでしょうか。そのことについて、皆さんはどのような感想をもちますか。そして、このことをもっとしっかり考えるためには、どのような歴史を学ぶことが必要だと思いますか。

第3講の参考文献

明石紀雄(一九九三)『トマス・ジェファソンと「自由の帝国」の理念——アメリカ合衆国建国史序説』ミネルヴァ書房

明石紀雄(二〇〇三)『モンティチェロのジェファソン——アメリカ建国の父祖の内面史』ミネルヴァ書房

井上勝生(二〇〇六)『シリーズ日本近現代史① 幕末・維新』岩波書店《新書》

岩本裕子(二〇一三)『物語 アメリカ黒人女性史(1619―2013)――絶望から希望へ』明石書店
ウィットマン、ジェイムズ・Q(二〇一八)『ヒトラーのモデルはアメリカだった――法システムによる「純血の追求」』西川美樹訳、みすず書房
上杉忍(二〇一三)『アメリカ黒人の歴史――奴隷貿易からオバマ大統領まで』中央公論新社《新書》
上杉忍(二〇一九)『ハリエット・タブマン――モーゼと呼ばれた黒人女性』新曜社
梅﨑透・坂下史子・宮田伊知郎編(二〇二一)『よくわかるアメリカの歴史』ミネルヴァ書房
榎森進(二〇〇七)『アイヌ民族の歴史』草風館
貴堂嘉之(二〇一九)『シリーズアメリカ合衆国史② 南北戦争の時代――19世紀』岩波書店《新書》
紀平英作(二〇二二)『奴隷制廃止のアメリカ史』岩波書店
黒川みどり(二〇一六)『創られた「人種」――部落差別と人種主義《レイシズム》』有志舎
ジェファソン(一九七二)『ヴァジニア覚え書』中屋健一訳、岩波書店《文庫》
塩川伸明(二〇〇八)『民族とネイション――ナショナリズムという難問』岩波書店《新書》
シドル、リチャード(二〇二一)『アイヌ通史――蝦夷から先住民族へ』マーク・ウィンチェスター訳、岩波書店
スミス、アントニー・D(一九九九)『ネイションとエスニシティ――社会歴史学的考察』巣山

靖司・高城和義ほか訳、名古屋大学出版会
竹沢泰子編(二〇〇五)『人種概念の普遍性を問う――西洋的パラダイムを超えて』人文書院
知里幸恵(一九九六)『銀のしずく――知里幸恵遺稿』草風館
ビコ、スティーヴ(一九八八)『俺は書きたいことを書く――黒人意識運動の思想』峯陽一・前田礼・神野明訳、現代企画室
平野千果子(二〇二二)『人種主義の歴史』岩波書店《新書》
藤本英夫(二〇〇六)『銀のしずく降る降るまわりに――知里幸恵の生涯』草風館
本田創造(一九八七)『私は黒人奴隷だった――フレデリック・ダグラスの物語』岩波書店《ジュニア新書》
ミーチャム、ジョン(二〇二〇)『トマス・ジェファソン――権力の技法』森本奈理訳、全二巻、白水社
歴史学研究会編(二〇〇八)『世界史史料7 南北アメリカ――先住民の世界から19世紀まで』岩波書店
和田光弘(二〇一九)『シリーズアメリカ合衆国史① 植民地から建国へ――19世紀初頭まで』岩波書店《新書》

第4講

国際秩序の変化や大衆化と私たち

1　不戦条約を世界史に位置付ける

次に、「歴史総合」の二つ目の大項目「国際秩序の変化や大衆化と私たち」に進みましょう。ここでは、二〇世紀前半の二つの世界大戦から戦後秩序が形成される一九五〇年頃までの世界史を学びます。第二次世界大戦やアジア・太平洋戦争の終戦で区切らない単元構成は、戦後の高校の歴史教育で初めての試みになるでしょう。

「国際秩序の変化や大衆化と私たち」というフレーム

学習指導要領では、①第一次世界大戦の展開とその影響下に起こった日本を含むアジアの経済成長や、ロシア革命によるソ連邦の台頭、そして決定的になったアメリカ合衆国の台頭を学び、さらに第一次世界大戦後のナショナリズムの動向や国際連盟の成立を学びます。次に、②世界恐慌、ファシズムの伸長、日本の対外政策によって国際協調体制が動揺し、第二次世界大戦に至った歴史の展開を学び、さらにその悲劇のなかから国際連合と国際経済体制が生み出されたことや、冷戦の展開のもとで戦後復興や日本の国際社会への復帰が行われたことを学ぶことになります。ごく単純化すれば、二〇世紀前半の大衆民主主義の展開・動揺・復活と脱植民地化の動き、そして国際協調体制の形成・破綻・復活の動きについての世界史です。一九四五年の終戦をまたぐ貫戦史になっているのは、三つの大項目が対象とする時代の幅がここだけ小さくなりすぎないようにするテクニカルな理由のほか、時代区分自体を変えることで見えてくるものがあるというねらいもあります。第二次世界大戦後の戦後改革について、戦前・戦中から何を継承し、何を断絶させたのかということを、複眼的に分析していく見方ができるようになるのです。

そこで第一次世界大戦の惨禍のなかから生まれた国際協調体制のひとつの成果としての不戦条約の歴史をたどり、「国際秩序の変化」の理想と現実について考え、それがどうして第二次世界大戦を防げなかったのか、そして世界大戦後の日本社会にどのように継承されたのかを見つめたいと思います。その問いを考えることで、「国際秩序の変化や大衆化」をとらえようとしている「私たち」自身のものの見方を再検討することが目標です。

大量殺戮の時代としての二〇世紀

第一次世界大戦が始まった一九一四年は、大量殺戮の時代の開幕を告げる年となりました。軍事力のみならず社会経済力すべてが勝敗の帰趨を左右する総力戦は、すでにアメリカの南北戦争にその兆候を見せていました。しかし第一次世界大戦は「地球規模の総力戦」となりました。このことをイギリスの歴史家ホブズボーム(二一四頁参照)は、次のように叙述します。

すべては一九一四年に変わった。第一次大戦にはすべての列強が参加し、スペイン、オランダ、スカンジナヴィア三国、スイスを除くすべてのヨーロッパ諸国が参加した。さらに海外地域の兵士たちが——はじめての場合が多かったが——それぞれの国の地域外に派遣されて戦うことになった。カナダ兵がフランスで戦った。オーストラリア兵とニュージーランド兵は、エーゲ海の小さな半島でそれぞれの国民意識を鍛えられた——「ガリポリ」は、この二つの国の国民的神話となった。そしてさらに重要なことに、アメリカは初代大統領ワシントンの「ヨーロッパに巻き込まれるな」という忠告を破ってヨーロッパに派兵し、こうして二〇世紀史のあり方に決定的な影響を与えることになった。(ホブズボーム　一九九六:上巻三四頁)

この歴史叙述を参考にして、第一次世界大戦後の「国際秩序の変化」と「大衆化」にかかわる内容をそれぞれ整理してみましょう。第一次世界大戦をとおして、グローバル化した戦争の惨禍への反省とアメリカの台頭によって「国際秩序」は大きく変容することになりました。そして戦争に動員され、それぞれの「貢献」をした植民地の人々がナショナリズムを高め、国民国家の形成を目指すようになります。列強の国内においても普通選挙や女性参政権の実現などが進んだこととあわせて、自由・平等をより多くの人々が目指すようになりました。「大衆化」という概念はとても多義的なのですが、ここでは「近代化」のなかで目指されたものが、より広範な人々によって享受されるようになる、という意味で理解しておきたいと思います。

第一次世界大戦の惨禍を具体的な戦病死者の数値で見ると、イギリス・フランス・ロシアなど連合国側に動員された兵士は四一〇〇万人で、そのうちの戦病死者は五一五万人（一二％）にものぼりました。ドイツ・オーストリアなど同盟国側では二二二一万人の動員のうち、戦病死者は三三九万人（一五％）に及んでいます。主要国では三〜六割の成年男子が動員されており、その十数％がいのちを失いました。そしてまた、民間人の死者の数は、約七〇〇万人にのぼり、兵士の戦病死者と同じくらいに達しました。これが第二次世界大戦になると、兵士の死者が約一七〇〇万人、民間人の死者が三四三二万人となり、兵士の死亡者が二倍になったのに対し、民間人の死者が五倍にも増えています。

一六世紀から二〇世紀末までの戦争は、約四六一二万人もの兵士の戦死者をもたらしたと考えられています。これを世紀別に計算すると、一六世紀は三・六％、一七世紀は一〇・三％、一八世紀は一二・六％、一九世紀は七・七％であったのに対し、二〇世紀になると戦死者総数の六五・八％を占め、しかも二〇世紀前半だけで五七・六％に達しています。まさに大量殺戮の時代の幕開けだったのです（油井　一九九七：六一―七一頁）。

戦争違法化と集団安全保障

この二つの世界大戦の膨大な犠牲者数を目の当たりにした時に、第一次世界大戦後の国際社会が、世界史上初めて「戦争を違法化する」努力を払ったことの意義をどのように考えるべきでしょうか。それは無駄だったのでしょうか。何かが足りなかったのでしょうか。そして後世に大切な何かを残しているのでしょうか。

そもそも二〇世紀までの世界の歴史のなかでは、戦争とは不正を糾《ただ》す大切な手段であり、武力に訴えることは政治の失敗ではなく、秩序のあるべき姿でした（後藤　二〇二二：一五頁）。ただしローマ時代の末期にキリスト教の教父哲学をうみだしたアウグスティヌスが、戦争には正戦（正義の戦争）とそうでない戦争があるという区別を主張し、この正戦論が一三世紀のスコラ哲学者トマス・アクィナスや一七世紀の国際法学者フーゴー・グロティウスによって受け継がれてきました。それが正戦ならば、キリスト教徒が人を殺害しても罪にはならないと考えられました。しかしキリスト教徒がムスリムと戦う十字軍のような図式とは異なり、一六世紀以降にヨーロッパ内部の宗教戦争や絶対主義国家間の戦争が激化してくると、双方が同じような正義を掲げて殺し合う戦争が一般的になり、正戦論が通用しない無差別戦争の時代になったのです。すでにグロティウス自身が、戦争の残虐性を抑制するために、戦争のときに守るべき法は正義の側か不正義の側かに関係なく適用されるべきだと考えていました。そして一九世紀末から二〇世紀初頭にかけてのハーグ平和会議において、毒ガス使用の禁止や宣戦布告の義務化、捕虜の人道的取り扱いなどを定めた一連のハーグ条約が採択され、戦争の方法を制限する努力が積み重ねられました。にもかかわらず第一次世界大戦を防止することはできなかったわけです。

どうすれば戦争の発生自体を防止できるのか。この問題関心から、第一次世界大戦から戦間期にかけてのアメリカで広がりを見せたのが「戦争違法化(outlawry of war)」という考え方でした。そこには様々な潮流がありましたが、共通しているのは、国民国家の利害が錯綜・衝突する国際社会に「法の支配」をもたらすことで、戦争を防止しようとする発想です。

まずウィルソン大統領が尽力して設立した国際連盟規約が、そのひとつの試みでした。それは、違法な戦争とそうでない戦争を区別して、違法な戦争を始めた国に対して制裁を行うという構想でした。**次の憲章の条文を読んで、国際連盟がどのような基準で戦争の違法性を判断しようとしていたのかを考えてみましょう。そしてそれは、正しい戦争か否かという正戦論の考え方と何が異なっているのかを考えてみましょう。**

第一〇条　連盟国は、連盟各国の領土保全および現在の政治的独立を尊重し、かつ外部の侵略に対しこれを擁護することを約す。右侵略の場合またはその脅威もしくは危険ある場合においては、連盟理事会は、本条の義務を履行すべき手段を具申すべし。

第一三条一　連盟国は、連盟国間に仲裁裁判または司法的解決に付し得と認むる紛争を生じ、その紛争が外交手段によりて満足なる解決を得ること能わざるときは、当該事件全部を仲裁裁判または司法的解決に付すべきことを約す。（……）

第一六条一　第一二条、第一三条または第一五条による約束を無視して戦争に訴えたる連盟国は、当然他のすべての連盟国に対し戦争行為をなしたるものと看做《みな》す。他のすべての連盟国は、これに対し（……）連盟国たると否とを問わず他のすべての国の国民と違約国国民との間の一切の金融上、通商上または個人的交通を防遏《ぼうあつ》すべきことを約す。

同条二　連盟理事会は、前項の場合において連盟の約束擁護のため使用すべき兵力に対する連盟各国の陸海または空軍の分担程度を関係各国政府に提案するの義務あるものとす。

（位田・最上編　二〇二五：一六―一七頁、一部表記改）

つまり国際連盟規約が違法なものと考えた戦争は、他国の領土・独立を侵略する戦争です。

しかしそれだけではなく、外交手段や国際司法の手続きにかけるなどの平和的な解決の努力をせずに行われる戦争についても、違法であるとしたのです。その結果、違法な戦争を行った国は「他のすべての連盟国に対し戦争行為をなしたるもの」と見なされることになりました。そして違法な戦争を行った国に対して他の国が共同して制裁を加えることで、平和を維持していこうと国際連盟は考えたのでした。こうした集団安全保障の発想によって、戦争が交戦当事国の問題だけでなく、世界全体の問題であると考えられるようになったことは、戦争の見方の大きな転換と言うべきでしょう。なお、国際連盟は経済制裁を行うことしかできなかったと言われることがありますが、それは結果論であり、規約上は武力制裁も想定していることは、引用した第一六条二から明らかです。

しかしながらすぐに次の問いを考えなければなりません。**このような集団安全保障が実際の戦争を防止するためには、どのような課題を乗り越える必要性があると予想されるでしょうか。その課題を問いの形で表現してみましょう。**たとえば、①紛争を抱えた国が解決を委ねる国際司法など可能だろうか、②違反国は他のすべての国にとっての敵になるという発想は、軍事同盟(集団的自衛権)の並立という現実の前に無力ではないのか、③特に経済制裁を「他のすべての国の国民」が一致団結して行うことは限りなく困難ではないか、④軍事制裁を行うときに、結局大国の軍隊が「国際警察」のように振舞って世界を支配するのではないか、⑤領土という概念に植民地を含めたり、独立という概念に勢力圏を含めたりすれば、侵略・自衛の意味するところは極めて拡大され、何が侵略で何が自衛なのかの区別がつきにくくなるのではないか……など様々な課題が想定されるでしょう。結果的に集団安全保障体制では、戦争を抑止することはできないのではないか、やはり集団的自衛権の行使によるほかないのではないかと、考えるほどに思えてきます。

戦争違法化と非戦論

実際、当時のアメリカ合衆国はウィルソンが国際連盟の設立の中心人物だったにもかかわらず、上院の反対で連盟に加わることを拒否しました。そのときの反対理由のなかには、モンロー・ドクトリンの孤立主義のほかに、集団安全保障体制の軍事制裁に加わるべきではないという、徹底した非戦論の考え方もありました。つまり違法な戦争を、自衛戦争や軍事制裁も含めたすべての戦争に適用する戦争違法化思想です。その代表が、シカゴの弁護士サーモン・O・レヴィンソン(Salmon O. Levinson 一八六五―一九四一)が創設したアメリカ戦争違法化委員会の活動でした。そもそも「戦争違法化」ということば自体が、一九一八年三月にレヴィンソンが自身の論文のなかで最初に用いて人口に膾炙していったと言われています。

一九二〇年代のアメリカでは、哲学者のジョン・デューイや上院外交委員長をつとめたウィリアム・E・ボラーなど、学界・政界双方の著名人がレヴィンソンに賛同していました。ことにボラー上院議員は、アメリカが国際連盟を拒絶せざるをえなかったのは、紛争を司法的に解決すべきであると信じているからだと力説しました。そしてその信念の背景には、合衆国の連邦最高裁が、憲法上その判決に従わない州に軍事制裁をする権限がなくても、世論の力で州を従わせることができていると、自国の成功体験を国際政治に拡大する発想がありました（三牧二〇一四：一三〇頁）。このことについては、**第3講でみた南北戦争後の合衆国憲法の改正と実際の州政治を踏まえると、ボラーのこの論理はどこが成り立ち、どこが成り立っていないでしょうか**、ということを考えてもよいかもしれません。

空想的な理想主義に見えながらも、レヴィンソンたちの国際司法への期待に裏付けられた非戦論が世論の共鳴を獲得したのは事実であり、特に一九二〇年代のハーディング、クーリッジ、フーヴァーの三代にわたる共和党大統領は、戦争違法化の考え方を重視しました。クーリッジ政権のもとで、レヴィンソンが草案作成にかかわったのが、不戦条約です。

不戦条約の成立と意義

不戦条約に至る最初の外交交渉を始めたのはフランスでした。ヴェルサイユ体制でドイツを封じ込め、ルール占領を強行したフランスは、一九二五年にロカルノ条約を結び、国境の現状維持やラインラントの非武装化を確認し、ドイツとの協調路線に転じます。しかし同時にフランスはドイツの復讐を封じ込めるため、ポーランドやチェコとの相互援助条約や、両国にドイツ・ベルギーも加えた四国で紛争時に司法的解決をはかる仲裁裁判条約を結びました。ロカルノ条約とは、こうした一連の協定の総称です。そこには集団的自衛権を含む個別条約によって集団安全保障体制を安定させようとする発想がありました。

フランスのブリアン外相は、この個別条約を大国アメリカとも結ぼうとし、その際、アメリカ国民の関心をひくために「戦争を追放する取り決め」の提案をしました。これに対して孤立主義を守りたいアメリカは、当初、拒否を考えていました。しかしレヴィンソンやボラー上院議員たちが戦争違法化のための多国間条約にこれを発展させるべきことを主張し、結局、ケロッグ国務長官は、前文で戦争の違法化をうたいつつ、条文では紛争時の調停・仲裁の方法を定める多国間条約案をフランス側に再提案しました。この大胆な提案に驚いたブリアンは、戦争違法化がフランスの対ドイツ包囲網の同盟を縛ることをおそれながらも、戦争違法化自体を否定することはできないので、侵略戦争を違法化するような多国間条約にすべきだと回答します。これに対してケロッグは、一九二八年二月二七日付の書簡でこう反論しました。

フランスやその他の国際連盟加盟国が国家の政策の一手段としての戦争を明確かつ無条件

> に放棄する決定に最終的にいたることは、連盟規約によって課せられた特殊の義務に違犯したり国際連盟の根本理念や目的に背反するものとは私は考えない。（……）宣言に「侵略国」なる文言についての定義や、国家が戦争に訴えることが正当とされる例外やその条件を付ける場合には、その効果は著しく弱められ、その平和保障としての積極的な価値は破壊されることになるだろう。（牧野　二〇二〇：七三頁）

この書簡のことばからはケロッグがレヴィンソンの非戦論に立脚しているかのように思われますが、彼は一方で、不戦条約は国家の自衛権を否定してはいないとか、国際連盟規約と背反するものではないと演説し、非戦論を否定しています。実は、当のレヴィンソン自身も、「自衛権」はどの国にも権利として認められているとしつつ、それが拡大解釈されて適切な範囲を超えた「自衛戦争」になってはいけないという論理をたてており、「自衛権」の武力行使を容認しています。しかし「自衛権」と「自衛戦争」の具体的な判別方法が論じられているわけではありません（三牧　二〇一四：一四〇―一四一頁）。**ではなぜケロッグは自衛戦争を否定しないのに、戦争一般を違法化するような不戦条約をブリアンと作ったのでしょうか。侵略・自衛の区別を書かないことで、どのような国益がアメリカにはうまれるでしょうか。**ケロッグは、むしろ侵略戦争などの具体的な定義を不戦条約に盛り込むと、それだけ条約の拘束力が厳密になり、アメリカが集団安全保障体制のなかに組み込まれてしまうことをおそれたのでした(牧野二〇二〇：一〇〇頁)。実際、一九二八年に一五カ国がパリに集まって調印した不戦条約のわずか三条の条文には、侵略・自衛にかかわる文言は盛り込まれていません。こうして可能な戦争についての解釈を国家主権の手中においておくために、戦争一般を違法とするように読める不戦条約が誕生したのです。不戦条約はわずか三条からなるもので、批准・発効の手続きを述べた第三条を除けば、実質的な内容は第一条・第二条のみから構成されています。

第一条　締約国は、国際紛争解決のために戦争に訴えることを非難し、かつ、その相互の関係において国家政策の手段として戦争を放棄することを、その各々の人民の名において厳粛に宣言する。

第二条　締約国は、相互間に発生する紛争または衝突の処理または解決を、その性質または原因の如何を問わず、平和的手段以外で求めないことを約束する。(歴史学研究会編　二〇〇六：一五四頁)

つまり「国際紛争解決のために戦争に訴えること」が違法であり、条約締結国は紛争を「平和的手段」で解決すべきことが約束されたのです。**この不戦条約の条文について、国際連盟規**

約の課題についての問い（一七三頁）の答えと照らし合わせて、何が解決に一歩前進したように見えるでしょうか。または、後退してしまったように見えるでしょうか。第一条について言えば、戦争を明確に放棄したことは、国際連盟規約より前進していました。連盟規約では紛争当事国が仲裁や司法の判決の三カ月後までに従わなければ、戦争を行ってもよいことになっていたからです。また、国際連盟規約が侵略行為を違法化したのに対して、より抽象的な「国際紛争解決のために戦争に訴える」ことを否定するという表現のみで戦争を違法化しました。アメリカ側の意図により、違法か否かの具体的な解釈権を国家権力が保持できることになりました。これを前進ととらえるか後退ととらえるか自体が、歴史批評する主体の立ち位置に左右されると言えます。他方で、抽象的な戦争の違法化が、そののちの国際政治の動向のなかで違法とされる戦争の範囲を拡大していく可能性を生んだということも、言えるのではないでしょうか。不戦条約について当時の国々が意図したことと、それが生み出した結果・影響は、区別して歴史を考察しなければなりません。

第二条では、国際連盟規約が目指してきた紛争の仲裁・司法的解決について、「平和的手段以外」の方法はありえないという表現で再確認しているということになります。その背景には、ハーグにおかれた常設国際司法裁判所が強制管轄権をもてず、この裁判所の管轄に服することを各国が受諾することが期待されたにもかかわらず、受諾宣言する国家が現れなかったという現実がありました。そして一九二四年の連盟総会で採択されたジュネーヴ議定書は、国際司法の強制管轄権を定めたものの、イギリスの反対などで発効できませんでした(柳原　二〇二二：九〇頁)。ゆえに挫折を繰り返してきた仲裁・司法的解決・軍縮などの「紛争の平和的解決」の必要性を再度確認する意義が、不戦条約にはあったと言えましょう。

2　戦争違法化の歴史から「問う私」を振り返る

不戦条約と日本

不戦条約は自衛戦争を違法とするものではないということは、書かれざる了解事項でした。さらにイギリスが受諾にあたって大きな留保をつけました。不可侵の領域とは自国の領土だけでなく「わが国の平和と安全にとって特別かつ死活の利害であるような一定の地域」も含まれると主張したのです(牧野　二〇二〇：八七頁)。**このことは不戦条約にどのような限界をもたらしたでしょうか**。これによって植民地や勢力圏をめぐる紛争についても自衛戦争であることを主張できる余地が生まれてきました。このことはアメリカの非戦論が抱えていた問題でもあり、クーリッジ政権は不戦条約の成立を目指すのと同時期に、中米のニカラグアの軍事占領を行っていました(三牧　二〇一四：一六一頁)。植民地・勢力圏をめぐる戦争が、「戦争ほどではない武力行使」(宣戦布告をしない武力行使)であるとか、「内戦という国内問題」であると見なされて不戦条約の対象から外されていくわけです。そしてさらに重大な問題とすれば、不戦条約が帝国主義列強の世界支配の「現状維持」をはかる装置として機能することにもなりました。

一方、日本では、戦争違法化とは別の論理のところで政治的な対立が生じました。政府が不戦条約の調印を済ませた後で、浜口雄幸らの民政党やナショナリストの団体が条約文の「その国民(peoples)の名において」について、これは国民(人民)主権を主張して天皇主権を否定するものだという反対運動を展開したのです。強硬外交を進める田中義一・政友会内閣が行おうとした不戦条約批准を、のちに協調外交を進める民政党が反対するという「政策のねじれ」が生じていました。結局、日本政府は「国民の名において」の字句のみわが国には適用しないことを宣言しました。条約の留保をするためには他国の受諾をとりつけなければならないので、一方的な宣言という形で処理したのです。日本の不戦条約批准は、国際連盟の常任理事国として大勢に順応したものでした(伊香　二〇〇二：六二頁)。

そして一九三一年の柳条湖事件に端を発する満洲事変、そして一九三七年の盧溝橋事件に端を発する日華事変において、日本はこれを戦争ならざる「事変」だと主張し、国際社会と対立していきました。そして満洲事変に影響を受けて実行されたイタリアのエチオピア侵略(一九三五年)とあわせて、国際連盟規約と不戦条約の機能不全を世界に印象付けたのでした。

しかし、不戦条約は、第二次世界大戦後のニュルンベルク国際軍事裁判や極東軍事裁判で「平和に対する罪」として戦争犯罪を裁くときの根拠のひとつになっていきます。また戦間期には、不戦条約をうけて戦争放棄を明記した憲法として、一九三一年のスペイン憲法、一九三五年のフィリピン憲法が生まれていました。そして日本国憲法の第九条が、不戦条約に類似した論理をもって誕生します。GHQのダグラス・マッカーサーは日本の徹底した非武装化の方針をもち、GHQ案を作成した民政局のチャールズ・L・ケーディスは不戦条約を高く評価していました(ダワー 二〇〇四:下巻一三〇頁)。ただし、政府の憲法問題調査委員会が会議を重ねているなか、第一復員省(旧陸軍省)のほうから、天皇制を守るためにも新憲法草案から軍規定条項を削除してほしいという申し入れがあり、政府の複数の草案のなかにはそのとおり削除しているもの(松本乙案・宮沢甲案)がありました。GHQ案が提示されたとき、第九条については政府の側にもそれを受け入れる下地があったのです(古関 二〇一七:一〇三―一一二頁)。

さらに言えば、GHQ案の戦争放棄のアイデアは、幣原喜重郎《しではらきじゅうろう》首相からも出されていました。一九四六年一月二四日に幣原はマッカーサーと二人だけで三時間にも及ぶ秘密会談を行い、このときに形を変えた天皇制の存続と戦争の放棄の条項を憲法に入れるべきことを幣原が提案し、マッカーサーもまた戦争放棄条項について同じ思いであると応じたのでした。幣原の心のなかには、戦争が国民の同意を得ずに始められ、結局は国民を惨憺たる破滅の淵に落としたことへの深い反省の思いがありました。あわせて象徴天皇制という形であっても、天皇制が守られることを昭和天皇が望んでおり、戦争放棄は新しい天皇制とセットになることで、世界から認められると考えていました(笠原　二〇二三：一六五―一八六頁)。

やがてGHQ案を受けて政府草案が作られ、一九四六年六月から衆議院での審議が始まります。その帝国憲法改正案委員会では、憲法を研究しヴァイマル時代のドイツに留学経験をもつ社会党の鈴木義男たちが、第九条がただ一国の強いられた戦争放棄ではなく、日本国民が「平和」を愛することで世界の「安全保障」に寄与するのだということを条文に盛り込むべきだと主張しました。これを受けて芦田均委員長(自由党)は、「世界が依然として偏狭な国家思想と、民族観念に囚はれて居る限り、戦争の原因は永久に除かれない」ので、「真に世界平和の理想に向つて、民衆の思想感情を養成する」ことを政府に要望しています(古関　二〇一七：三三〇―三三三頁)。このような議論の結果、政府草案に二カ所の修正が施されて現在の第九条が成立しました。(草案からの修正箇所に波線を引いておきます。)

第九条【戦争の放棄、戦力及び交戦権の否認】

①日本国民は、正義と秩序を基調とする国際平和を誠実に希求し、国権の発動たる戦争と、武力による威嚇又は武力の行使は、国際紛争を解決する手段としては、永久にこれを放棄する。

②前項の目的を達するため、陸海空軍その他の戦力は、これを保持しない。国の交戦権は、これを認めない。

そこで、**憲法第九条の条文と不戦条約を比較して、共通している内容と相違している内容を整理してみましょう。そして第九条の意義と課題を考えてみましょう。**不戦条約との大きな相違点は、第一項で日本国民は自国の平和だけでなく「国際平和」を求めるという目的を明言し、第二項で戦力不保持と交戦権の否定にまで踏み込んでいる点です。そして日本国憲法の戦争放棄もまた、①「国際平和」を掲げたとしても、国際連合の集団安全保障体制との具体的な関係についてどう考えるのか、②自衛権についてどう考えるのか、③集団的自衛権につながる日米安全保障条約との関係をどう考えるのか、といった課題を背負っています。

自衛権について言えば、第二項の修正箇所「前項の目的を達するため」は、国会審議のときは第一項の修正内容——日本国民は国際平和を誠実に希求する——を受けるという意味合いでしたが、やがて芦田均本人によって、「国際紛争を解決する手段としては」のほうを受けて戦力不保持の範囲を限り、自衛権行使を可能にするための修正であったと、歴史のファクトが粉飾されるようになります。また、一九四五年一二月に行われた戦後初の衆議院選挙で女性参政権が実現されたとき、同じ改正衆議院選挙法で沖縄県民の選挙権が停止され、米軍に占領されたままの沖縄では基地の建設が始まっていきます(古関　二〇一七：一五六頁、三九〇頁)。「平和国家」としての戦後日本は、沖縄の人々に降りかかる軍事化の苦悩のファクトから目をそらすことで歩み出したのでした。

問う私の相対化①——矛盾の綱渡り

以上、二つの世界大戦の時代に人類が試みた戦争違法化が、どのような課題(問い)に直面したのかということを国際連盟・不戦条約・日本国憲法という歴史連関に着目して考えてきました。このような国際秩序の世界史を考察する場合、第3講の際に念頭においたファクト・チェックよりも歴史解釈の際の論理整合性のほうが前面に出てきます。そして最後に不戦条約や第九条の意義をどう歴史批評するのかというところでは、最終的に非戦論に立つのか、レベルの差こそあれ戦争容認論に立つのかという世界観の相違に左右されることになります。その場合、非戦論に立つ生徒は、戦争で犠牲になる兵士や銃後の家族を見つめて、こうしたいのちの悲しみに国家の論理が優先されることを批判します。一方で、戦争を容認する生徒は、国益を守るための国家の論理を考えなければ政治はできないと述べ、人道主義の一面性を批判します。世界史の授業の歴史対話は、そうした世界観を衝突させて優劣を考えさせるよりも、双方の論理の特徴を考察するところに重きをおいて、各自の世界観をより慎重に見つめ直す視点を提示したいと、私は考えています。

問う私を相対化するために、ここでは三つの視点を考えてみましょう。第一に、必要なときには矛盾を維持する生き方があるという視点です。その事例として、不戦条約締結時にその意義を高く評価した国際法学者の信夫淳平《しのぶじゅんぺい》(一八七一―一九六二)をとりあげます。信夫は、もともと戦間期の集団安全保障体制に違和感を表明し、国家の勢力均衡外交を重視していた古典外交論者でした(酒井　二〇〇七：九四頁)。しかしその一方で不戦条約の意義を高く評価しました。信夫の『不戦条約論』(一九二八、復刻版二〇一九)は、その理由の第一として、「国際紛争を仲裁裁判その他の平和的な方法に依り解決することの道」が完成される方向に行くからだと論じています。そしてそのことは、「最厳正の範囲における自衛戦」以外の「やらないで済む無用の戦争」を禁止することになります。しかし「最厳正の範囲における自衛戦」は、信夫にとって戦後日本の専守防衛と同義ではなく、「我が死活的権利利益」のための武力行使を含み、それゆえ日露戦争は自衛戦であると見なされました(信夫　二〇一九：二七―二八頁、三二頁)。ならば結局、不戦条約など無意味なのではないかという論理になりそうなのですが、信夫はさらに論理を反転させて、次のように結論づけています。

現代の外交を以て正義も人道もなく、依然権謀術数の表現であると見るのも、一つの見方であるに相違ない。けれども私は、これと全然見解を異にする。勿論今日の外交にも、権謀や術数の伏在することはあろう。否、時とすると確かにある。けれども、その故を以て外交は正義を基礎とせぬものなりと断定するのは、決して正しき断定とは称し難い。世の中には泥棒もあり詐欺師もあり人殺しもある。されど悪漢が跋扈するからとて、世間は詐欺やペテンのみ、交際に徳義も人情もあったものに非ずと云えば、而して実際そう信じるならば、交際は全然能《で》きず、その人は一人の友をも得ないで一生孤立するの外ない。（……）僻《ひが》んだ心や偏狭の眼には、他人でも他国でもことごとく悪党に見える。（……）国の心を濁らしさえせねば、外交は決して不正義、不道徳の結晶とは映じないものと断言するも、事実を欺かざることと確信する。（信夫　二〇一九：二三六―二三七頁）

なぜ、国際社会が国家権力のぶつかりあいであるという現実があるのに、信夫は「正義を基礎」とした外交が必要であると考えているのでしょうか。信夫が論じているのは、正義を基礎とする外交を行わないと、自分たちが「僻んだ心や偏狭の眼」をもって世界に対峙することになり、それは国際社会からの孤立に至るような外交の失敗をひきおこすという、もうひとつの現実です。理想主義と現実主義というものは、二律背反なものではないという視点です。ならば権力政治の現実を見つめながら、同時に正義の国際秩序を掲げるという矛盾を維持していくことが当面の生き方だということになります。論理整合性は保てないけれども、いのちのリスペクトをはかる歴史対話の原則からみて、今は矛盾をそのままにしておくという歴史認識もあることに気づかされます。

実は、世界史上の政治家たちを見ると、体系だった理念や構想にもとづいた思考判断と、その都度の目的追求のための思考判断の二つの思考パターンの間で、複雑な綱渡りをしてきたのだと言えます(ギャディス 二〇二一:五二三頁)。歴史創造の主体としての私たちの日々の思考判断のありようも、実はそのようなものなのかもしれません。世界史を考えるときに、理想主義と現実主義の矛盾をどちらかの側だけで裁断しないということは、それぞれの論理がまだ見えていないファクトがあるのではないかと警戒し、世界の瓦礫を凝視し続けることにつながるのだと思われます。

問う私の相対化②——行為主体性に注目する

問う私を相対化する二つ目の視点は、歴史を大きく動かした政治家だけでなく、戦争に対して普通の人々がどう判断したかを見つめることです。戦争をめぐる普通の人々の行為主体性（エイジェンシー）のなかで、非戦の限界と意義を繊細に考察する視点です。なぜならば、私たちが戦争の開始を決断することはまずないのであり、ありうるのは戦争への協力を行うか拒絶するかという、強いられた選択を可能な限り主体的に決断することだからです。たとえば、**二つの世界大戦の時代の日本の女性たちは、非戦論に対してどのように向き合ったのでしょうか。**近代日本において女性解放を力強く主張した雑誌『青鞜《せいとう》』には、一編だけ非戦論を唱えた論文が掲載されています。斎賀琴《さいがこと》「戦禍」（一九一五）です。自分には戦争の可否についての議論をする「しかとした考えを言い張るだけの研究もない」とあらかじめ断りを入れながらも、斎賀は「女性として――殊に女の中でも気の弱い女としてなるべくならば戦争を免れたい」と言い、日露戦争の時に家族を失った人々の深い悲しみを克明に描き出していきました。「あの大きな戦争の影響の極めて小さな一部分」にすぎない一人の兵士の出征であっても、その家族にとってはすべてを失うほどの大きな出来事であることを、斎賀は見つめています（堀場編　一九九一：二三八頁）。第一次世界大戦後の平塚らいてうもまた、男性たちの始めた戦争によって、女性の「愛の結晶として創造された無数の人間が公然と殺戮される大惨事」を目撃したことを告発し、女性はただ参政権の獲得を目指すだけでなく、その参政権を行使して「愛の自由とその完成のための社会改造」を目指すべきであると説き、軍備縮小に向かう国際協調を支持しまし

た(小林・米田編　一九八七：一六〇頁、一六二頁)。

そして満洲事変が起こると、市川房枝(一八九三—一九八一)は、「国際紛争を解決する為めに、武力を用ふる事は、如何にしても賛成する事が出来ない」とこれを厳しく批判し、「政府当局をして、国際平和のため、進んで世界各国と協調せしめる」ために女性参政権の獲得が必要であると説きました(進藤　二〇一四：一二五頁)。ただし、市川房枝は女性参政権実現という目標のために、それ以外の政治的対立を抑制して左右両翼の女性たちの大同団結をはかる戦略をとっていました。その最優先目標を重視する姿勢は、一九三七年に日中戦争が始まり、戦争の長期化が予想されるようになって国民精神総動員実施要綱が決定されると、これに協力する生き方につながります。本シリーズ第二巻で成田龍一が論じたように、総力戦の下では政府もまた女性の協力を必要とし、女性運動の指導者市川の側では、好機とばかりに女性登用を政府に求めるという関係が成立しました(成田　二〇二二：二五三頁)。戦争を通した「大衆化」の進展です。戦後の市川はこのときの選択を次のように回顧しています。

今までは可能な程度に戦争反対の意思表示もし、軍部の攻撃もしてきた。政府の、自治体の政策に協力の姿勢を示しながら、そのなかに私どもの要求を割り込ませることに苦労し、ある程度目的を達してきたつもりである。しかし今度は現実に戦争が始まってしまった。この時点で、正面から戦争に反対して監獄へ行くか、または運動から全く退却してしまうか、あるいは現状を一応肯定してある程度協力するか、どれかの道を選ばなければならない。
（市川　一九七四：四三三頁）

市川からすれば、いつ終わるかもわからない戦争の苦難のなかで、女性や子どもの生活を守るためには、誰かが要職について政府に提言を続けていかなければならないという思いでした。満洲事変の直前には二度にわたって婦人公民権法案が衆議院を通過しており、戦前にあっても女性の権利の獲得は間近にあると予想されていました。「今、ここで」そのチャンスを手放すわけにはいかなかったのです。現代に生きる私たちの目線から市川の必死の思いを見るならば、「人間の安全保障」（国家ではなく人間を中心に安全保障を人権としてとらえる考え方）をはかるために、やむなく戦争を遂行している政府に協力をせざるをえなかったという行為主体性が浮かび上がってきます。

しかしながら市川の第三の道の選択、つまり戦争協力は、太平洋戦争期になると一層進み、大日本婦人会の審議員として女性の生活統制に関わるいくつもの案を作成しました。また、市川は大日本言論報国会の理事に就任し、各地で開催された「米英撃滅大講演会」で講演をしました（進藤　二〇一四：四八五頁）。ただし政府の方針に完全に従順ではない市川は、大日本婦人会の審議員の再選をただ一人断られ、本部から各支部に講演をさせないよう通告されました（市川　一九七四：五八四頁）。戦後になって市川は公職追放を受けますが、戦中の女性運動の広がりは、敗戦後すぐの女性の活発な参政権行使につながっていきました。やがて市川は参議院議員に当選し、平和運動の担い手になっていきます。

他方、市川とほぼ同じ時代を生きた社会主義者の山川菊栄（一八九〇―一九八〇）は、神奈川県鎌倉郡村岡村（現・藤沢市）に鶉《うずら》の飼育場をつくって生活の糧を得ながら非戦の立場を貫こうとしました。夫・均が治安維持法違反で検挙され、飼料不足により事業は失敗しましたが、農村の生活はそれ自体が新たな学びだと考えていました。戦争から距離をおきつつ、普通の女性の歴史を研究し続けたのです。そして『東京朝日新聞』に発表した「政府の女性徴用」（一九三九）では、「政府のその時々の思いつきに追随して、いたずらに右へ左へ走るの観」ある女性運動の指導者に対して、「しっかりと大地を踏みしめて、のろくとも、正しい方角へ確かな歩みを進めてほしい」と呼びかけました（鈴木編　一九九〇：二〇四頁）。足踏みをしても構わないから、確かな歩みをすべきなのだという山川のことばは、市川への痛烈な批判でした。

非戦という理想主義と目の前の人を助けるという現実主義のあいだの綱渡りのなかで、どのような視点が大切だということを、山川と市川の生き方から学べるでしょうか。また、このことは、現代のウクライナ戦争にどのように対峙するかということと、何が共通しており、何が

相違しているでしょうか。

問う私を相対化する三つ目の視点③——私と過去の問いとの対話

問う私を相対化する三つ目の視点は、過去と現在の文脈比較のチェック方法によって分析対象を慎重に見つめる視点です。私が心がけたのは、不戦条約を空想的な理想主義だと決めつけるのではなく、一九二〇年代の国際社会に生きた人々にとってどのような意義をもっており、そのために人々がいかに多大な努力を費やしたかという考察です。このことは、当時の人々のなかで「不戦条約」ということばがもっていた文脈、つまりベンヤミン風に言い換えれば、そのとき、そこで存在したただひとつの雰囲気・オーラ（アウラ）を考えてみることになるのだと思われます。

私がこれまで論じきれていない当時の文脈をさらに言えば、二〇世紀前半のグローバル・ヒストリーの大きな転換の文脈もあります。この大きな文脈への注目は、各国史の寄せ集めの高校世界史ではしばしば欠落しがちです。たとえば、二〇世紀の前半は、世界におけるイギリスの覇権が、植民地支配を行う帝国支配（公式帝国）を推進しながらも、世界諸地域に多様な公共財を提供して経済力・軍事力・文化的な影響力を行使するヘゲモニー国家（非公式帝国）として存在しており、そのヘゲモニー（主導権）は、アジアにおいては現地勢力との妥協や協力・協調を余儀なくされていました(秋田　二〇一二：二五九―二六二頁)。同時期に台頭するアメリカは、一層へゲモニー国家の色彩を強めています。二〇世紀前半の世界史は、これまでの帝国主義の露骨な軍事力による植民地支配が変容していく局面になっていました。ただしそうした非公式帝国は、「植民地なき植民地主義」という特徴をもったものでした(木畑　二〇一四：二一四頁)。不戦条約もこうしたグローバル・ヒストリーの文脈において考察する必要があります。

「現在と過去のあいだの対話」としての歴史学習が、「今、ここで」からの一方的な過去の裁断にならないためにも、過去の人々が「そのとき、そこで」どのような「問い」をもち、どのような「対話」をしていたのかを丁寧に見つめ、そのうえで「今、ここで」からの「問い」の答えをくみたてていく必要があります(井野瀬・小川・成田　二〇二三：成田の発言)。過去の人々のかけがえのない「問い」を見出すことで、歴史を見る自分自身の「問い」をたえず更新させていくいとなみこそが、「現在と過去のあいだの終わりのない対話」になります。E・H・カー『歴史とは何か』(一九六二)は、この対話を「歴史家とその事実のあいだの相互作用の絶えまないプロセス」ということばで明晰に表現しました(カー　二〇二二：四三頁)。これは、「私と過去の問い」との終わりのない対話」なのだろうと私は考えます。

「戦争違法化」、「不戦条約」、「紛争の司法的解決」といったひとつひとつの歴史のことばに当時の人々が抱いた質感をとらえようとする歴史実践は、実は、ベンヤミンの言うオーラを見落とさない過去との対話になるのだと私には思われます。ベンヤミン「複製技術時代の芸術作品」(一九三六)は、写真とか映画といった複製技術がオーラをそぎ落とすことで、芸術の大衆化が可能になったいっぽう、芸術の独自の価値が見失われて政治のために利用されてしまうことを見つめました(ベンヤミン　一九九五)。「芸術」のオーラのように、「歴史」にもオーラがあるのではないでしょうか。

ベンヤミンは「写真小史」(一九三一)のなかでオーラ(アウラ)について次のように述べています。

そもそもアウラとは何か。空間と時間の織りなす不可思議な織物である。すなわち、どれほど近くにであれ、ある遠さが一回的に現われているものである。夏の真昼、静かに憩いながら、地平に連なる山なみを、あるいは眺めている者の上に影を投げかけている木の枝を、瞬間あるいは時間がそれらの現われ方にかかわってくるまで、目で追うこと——これがこの山々のアウラを、この木の枝のアウラを呼吸することである。(ベンヤミン一九九五：五七〇頁)

大切なことは、「遠さ」を感ずることです。自分との「遠さ」があるからこそ、そこに手を差し出し、対象の姿を一瞬一瞬の変化に至るまで見逃すまいと見つめようとする私たちの姿勢がうまれます。オーラとは私たちを簡単には寄せつけない、対象の質感・コンテキストであると、私は考えます。簡単に対象を理解し、場合によっては一体化したかのように思い込む暴力的思考に抗して、過去のコンテキストにはつねに自分がまだ理解できていない何かがあると思いながら、それに手を伸ばし続けること——そうした姿勢が、過去の人々の「問い」のオーラを見つめる歴史実践を形作るのではないでしょうか。

最後に、不戦条約や憲法九条の歴史を振り返って、自分にとって新たな気づきであったと思われるのは、どのような点でしょうか。それは自分にとってどのような意義をもつと考えられるでしょうか。

第4講の参考文献

秋田茂（二〇一二）『イギリス帝国の歴史——アジアから考える』中央公論新社《新書》

伊香俊哉（二〇〇二）『近代日本と戦争違法化体制——第一次世界大戦から日中戦争へ』吉川弘文館

位田隆一・最上敏樹編（二〇一五）『コンサイス条約集 第2版』三省堂

市川房枝(一九七四)『市川房枝自伝　戦前編』新宿書房
井野瀬久美恵・小川幸司・成田龍一(二〇二三)「〈討議〉転換期の歴史教育／歴史教育の転換」『思想』二〇二三年四月号所収、岩波書店
カー、E・H(二〇二二)『歴史とは何か　新版』近藤和彦訳、岩波書店
笠原十九司(二〇二三)『憲法九条論争——幣原喜重郎発案の証明』平凡社《新書》
木畑洋一(二〇一四)『二〇世紀の歴史』岩波書店《新書》
ギャディス、ジョン・ルイス(二〇二二)『大戦略論——戦争と外交のコモンセンス』村井章子訳、早川書房《文庫》
古関彰一(二〇一七)『日本国憲法の誕生　増補改訂版』岩波書店《現代文庫》
後藤春美(二〇二二)「世界大戦による国際秩序の変容と残存する帝国支配」、永原陽子・吉澤誠一郎ほか編『岩波講座世界歴史20　二つの大戦と帝国主義Ⅰ　二〇世紀前半』所収、岩波書店
小林登美枝・米田佐代子編(一九八七)『平塚らいてう評論集』岩波書店《文庫》
酒井哲哉(二〇〇七)『近代日本の国際秩序論』岩波書店
信夫淳平(二〇一九)『不戦条約論』書肆心水
進藤久美子(二〇一四)『市川房枝と「大東亜戦争」——フェミニストは戦争をどう生きたか』法政大学出版局
鈴木裕子編(一九九〇)『山川菊栄評論集』岩波書店《文庫》

ダワー、ジョン(二〇〇四)『増補版　敗北を抱きしめて――第二次大戦後の日本人』全二巻、三浦陽一・高杉忠明・田代泰子訳、岩波書店
成田龍一(二〇二二)『シリーズ歴史総合を学ぶ② 歴史像を伝える』岩波書店《新書》
ベンヤミン、ヴァルター(一九九五)『ベンヤミン・コレクション1　近代の意味』浅井健二郎編訳、久保哲司訳、筑摩書房《学芸文庫》
ホブズボーム、エリック(一九九六)『20世紀の歴史――極端な時代』全二巻、河合秀和訳、三省堂
堀場清子編(一九九一)『『青鞜』女性解放論集』岩波書店《文庫》
牧野雅彦(二〇二〇)『不戦条約――戦後日本の原点』東京大学出版会
三牧聖子(二〇一四)『戦争違法化運動の時代――「危機の20年」のアメリカ国際関係思想』名古屋大学出版会
柳原正治(二〇二二)『帝国日本と不戦条約――外交官が見た国際法の限界と希望』NHK出版《ブックス》
油井大三郎(一九九七)「世界史のなかの戦争と平和」、樺山紘一ほか編『岩波講座世界歴史25　戦争と平和――未来へのメッセージ』所収、岩波書店
歴史学研究会編(二〇〇六)『世界史史料10　二〇世紀の世界I――ふたつの世界大戦』岩波書店

第5講
グローバル化と私たち

1　二〇世紀後半の民族浄化と強制追放を見つめる

「グローバル化と私たち」というフレーム

「歴史総合」の最後の大項目は「グローバル化と私たち」です。ここでは、二〇世紀後半から現代に至る世界史を学びます。実は、「グローバル化」という多義的な概念について、学習指導要領は厳密な定義づけをしていません。そもそも世界史上では、①人類の出アフリカから世界への広がり、②モンゴル帝国の成立、③大航海時代、④アジア中心の大交易時代、⑤一八世紀後半の市民革命と産業革命による近代化の伝播、⑥一九世紀後半の資本主義システムの世界規模での緊密化、⑦第二次世界大戦後の国際関係・国際協力の一層の緊密化、⑧一九九〇年代以降のグローバリゼーションの進行など、幾段階にもグローバル化が積み重なってきました。こんにち私たちが「グローバル化」という概念を使うときは、⑧を意味することが多いわけですが、「歴史総合」のグローバル化は、⑦と⑧の両方を含んでいます。

学習指導要領では、次の二つの歴史の局面をこの大項目に想定しています。まず、一九五〇年代から八〇年代の国際政治の展開について、脱植民地化の動き、冷戦下の地域紛争、欧米・日本の福祉国家建設とその行き詰まり、軍備拡張の歴史などを学びます。そして同時期の世界経済について、西ヨーロッパや東南アジアなどで進んだ地域連携、社会主義国の計画経済の行き詰まり、欧米・日本の経済成長などの歴史を学びます。次いで、一九八〇年代末の冷戦終結以降の国際政治の現状について考えるとともに、アジア諸国の経済成長、冷戦終結後に加速化した経済の自由化などの世界経済の大きな変化を見つめることになります。

最後に、主題学習として、現代的な諸課題が歴史的にどのように生み出されてきたのかを生徒自らが探究することで、「歴史総合」がしめくくられることになっています。ただし、なかなか自由探究を設定する時間数の余裕がないのが現実です。私自身は、定期考査のたびごとに「今回の考査範囲のなかから自由にテーマを設定し、それに対する歴史批評をしてください」という自由論述の問いを出題してきました。この問いを「今回の考査範囲のなかから現代的な課題につながるテーマを設定し、さらに複数の史料を参照しながら、あなたの歴史解釈と歴史批評をしてください」とアレンジするだけでも、主題学習が可能になると思われます。

終わらない暴力の連鎖とファクトの隠蔽

一九四五年の第二次世界大戦の終結は、世界各地で膨大な人々が追放され、離散し、しばしば大量に殺害される歴史の新たな始まりでもありました。「歴史総合」では、「近代化」を欧米社会における国民国家の成立に、そして「大衆化」を第一次世界大戦後の国民国家の拡大に重ねて学ぶことが多いわけですが、第二次世界大戦後もまた、戦後処理や脱植民地化のなかで国民国家が再編、拡大していきました。それは「民族自決」という理念による異民族否定（民族浄化）や民族対立の激化をともない、「グローバル化」という戦後世界を形容する概念とは裏腹に、世界の亀裂を深刻なものにしていきました。そしてその亀裂は、記憶の継承のあり方（人々の歴史叙述のあり方）を大きく左右してきたのです。

たとえば、ナチス・ドイツの占領から独立を回復したチェコスロヴァキアでは、一九四六年一〇月二八日（第一次世界大戦末期の独立宣言の日）に三〇〇万人のドイツ系住民を追放したことの「完了式典」が行われました。ベネシュ大統領は、「今日より、法的にばかりでなく現実にもわが国は国民国家に、チェコ人とスロヴァキア人だけの国家になった」ことを誇りました。国防軍や治安組織などによって暴力的に財産を没収されて追放された住民のうち、二万人から四万人が死亡したと言われています（篠原　二〇二三：二〇二頁、二一六頁）。かつてオーストリア・ハンガリー帝国の一部であったチェコスロヴァキアは、もともと多民族の構成であったわけですが、ドイツ系住民全体が占領者と同一視されて「民族浄化」の対象になったのです。

暴力的なドイツ人の追放は、第二次世界大戦後のポーランドでも行われました。ポーランドの西側の国境が、ソ連に東部を占領された代償に、約二五〇キロもドイツ側にくい込んで新たに線引きされ、約八五〇〇万人から一〇〇〇万人のドイツ系住民が追放されました(吉岡　二〇二一：二八五頁)。ドイツ系住民たちは、ポーランド人による報復の暴力にさらされ、また、その女性たちが、ソ連兵の凄まじい性暴力の被害にあいました。そのため、戦後すぐのドイツ社会では、第二次世界大戦を「被害者の記憶」として振り返ることが多く、戦争責任が少数のナチスと軍国主義者のみに帰されがちでした。無数の様々な立場のドイツ人たちがナチスに協力して戦争を遂行したファクトが忘却されがちになりました。

一方、ポーランドの東部では、ウクライナとのあいだの住民交換協定が結ばれ、新たにウクライナ領となった東ガリツィアやヴォルイニから約一二〇万人のポーランド系・ユダヤ系住民が、逆にポーランドからは約四八万人のウクライナ系住民が、それぞれ追放されて「民族浄化」が行われました。大戦中からヴォルイニではウクライナ系住民とポーランド系住民の暴力衝突が繰り返されており、死者は四万人から六万人にのぼりました。民族浄化はそうした血で血を洗う暴力の連鎖の結果でした(野村　二〇二三：一一六頁)。戦後のポーランド共産党は、単一民族国家の樹立を宣伝しました。第二次世界大戦におけるポーランドは死者が人口の一八〜二二%にも達したことから、ナチス・ドイツとスターリン独裁の双方にはさまれた犠牲者だったという記憶が広まり、ナチスのユダヤ人虐殺の際にポーランド人が傍観者となって結果的に同調していたファクトが、ここでも隠蔽されます。一九八〇年代にランズマンの映画『ショア』(八頁参照)が公開されて、ユダヤ人を載せた列車が収容所に入っていくのをポーランド人たちは皆笑って見ていたという証言を伝えると、ポーランドでは一時上映禁止措置がとられたほどでした(林　二〇二二：五一—一三頁)。

第二次世界大戦のインドでは、「インドは一つ」を主張するガンディーら国民会議派に対し、ムスリム連盟を率いるジンナーはパキスタンの分離独立を要求してイギリス当局に協力をしました。大戦が終わると、分離独立をめぐってヒンドゥー教徒とムスリムの対立が激化し、全国で流血が繰り返されます。イギリスのインド総督はこうした暴動を放置しました。一九四七年八月にパキスタンとインドが一日の差でそれぞれ分離独立を果たし、その二日後に現地を訪れたこともないイギリス人官僚が人口調査をもとに両国の国境線を引いて公表しました。ガンディーが「生体解剖」と呼んだこの線引きによって、多数派の側の信者が少数派を迫害したり、少数派がその迫害から逃れようとしたりして、ムスリムが東西パキスタンに、反対にヒンドゥー教徒やシク教徒がインドに、難民となって大移動しました。その総数一四〇〇万人のうち、死者が二〇〇万人、レイプされた女性たちが数十万から一〇〇万人に及んだと考えられています(竹中　二〇一八：一七一—一七三頁)。ガンディーは、その非暴力思想に強く反発するヒンドゥー教徒によって暗殺されました。そして分離独立後のインドでは、ガンディーの非暴力運動がインド独立の国民的な記憶に美化され、「民族浄化」のファクトが隠蔽されていきました。

以上のように、戦争をつうじて世界に新たな国民国家が広まるにつれて、被害者としての記憶がナショナリズムと結びついて強調されるとともに、戦争犯罪や民族浄化をめぐる加害者としての記憶を隠蔽するような世界史の見方が人々に根をおろしていきました。すると歴史を見つめることが次の暴力を生み出すことにつながります。ホブズボームが言うように歴史学が「爆弾工場」になっていくのです(二四—二五頁参照)。

イギリスの秘密外交と中東諸国体制

第一次世界大戦中、イギリスは戦争を有利に進めるために、中東に関する三枚舌外交を展開していました。①一九一五年のマクマホン書簡では、ハーシム家のフセインに、ドイツ側に立つオスマン帝国に反乱を起こせば、肥沃な三日月地帯とアラビア半島にアラブ人の独立国家を認めると約束しました。②一九一六年のサイクス・ピコ協定という秘密条約では、肥沃な三日月地帯の北部をフランス、南部をイギリスが分割し、パレスチナを国際共同管理に置くことを約束しました。③一九一七年にユダヤ系のロスチャイルド卿にあてたバルフォア書簡(宣言)では、「パレスチナにおいてユダヤ人のための民族的郷土(a national home)を設立することを好ましいと考えている(view with favour)」と表明し、それが「パレスチナに現存する非ユダヤ人諸コミュニティーの市民および信仰者としての諸権利」を侵害しないようにすることを約束しました（歴史学研究会編　二〇〇六：三八―四二頁）。

①②③は互いにどこが矛盾しているでしょうか。そしてその矛盾を顕在化させないようにどのような操作をしているでしょうか。ここではパレスチナを国際共同管理におくことを提唱しつつ、ユダヤ人に「国家」ではなく「民族的郷土」を、そして「承認する」ではなく「好ましいと考える」というように曖昧なことばを使っており、さらには非ユダヤ系住民への配慮を示しています。当時のパレスチナにおけるユダヤ系住民の人口はわずか九％だったからです。つまりイギリスは三枚舌が矛盾していないように見えるための工夫をしていました。「民族的郷土」がどのようにしてユダヤ人の「国家」になり、それがどのようにしてパレスチナの非ユダヤ系住民の諸権利を強く抑圧するものになったのかは、その後の歴史の選択肢の選び方に左右されたのです。私たちは世界史上の大きな問題を見つめるときに、遠くの他者の責任を指弾するけれども、「歴史のリカバリー」の可能性を自分ごととして考えることを怠りがちになります。このことを意識して世界史の授業におけるパレスチナ問題の学び方をどう改革するかが私の課題です。

さて、第一次世界大戦後、中東はイギリスとフランスの委任統治のもとにおかれます。委任統治の線引きは人工的なもので、肥沃な三日月地帯が東西に分割されました。東側（イラク）がイギリスの委任統治になるにあたっては、イラク北部で産出される原油をフランスにも安定供給することが条件となっていました。いっぽうでこの地域に住んでいるクルド人は、イギリス・フランス・トルコの人工的な線引きに引き裂かれていきます。そしてイギリスは統一アラブ国家を目指すフセインを抑えるために、サイード家にサウジアラビアの建国を認め、フセインの息子たちにそれぞれイラクとトランスヨルダンの建国を認めていきました。

イギリスが一九世紀末にドイツに対抗してペルシア湾岸に設置していた保護領クウェートや、イラン、トルコ、エジプトなどとあわせて、国家が分立する中東諸国体制がうまれたのです（板垣　一九九二：三五八―三五九頁）。中東に影響力を行使しようとする列強の利害と、アラブ人のそれぞれの指導者の思惑が交錯したところに成立したシステムです。特に肥沃な三日月地帯やアラビア半島では、言語としてはアラビア語を用い、宗教としてはイスラーム、キリスト教、ユダヤ教、さらにそれぞれが諸宗派に分かれている人々のなかに、人工的な国境画定にともなう国民意識が育まれていくことになりました。ただし、これまで繰り返してきたように、このような複合的・重層的なアイデンティティ形成は、中東だけの現象ではないということも念頭におくべきでしょう。

改めて、なぜ東欧や南アジア、そして中東で民族浄化・民族対立が激しくなったのかの理由を考えてみましょう。「民族構成が複雑だったから」という理由づけがしばしばなされるので

すが、そうした歴史解釈が見落としている事象はないのでしょうか。第3講で、「エスニシティ(民族グループ)」が国家形成を目指すようになったときに「民族」と呼びうる存在になると、両者を区別しました(一六二頁参照)。エスニシティは、西ヨーロッパにも北アメリカにも日本にも多様に存在しています。にもかかわらず、特に東ヨーロッパや南アジア、中東で民族対立が頻発してきたのは、第一次世界大戦まで存続していたオーストリア・ハンガリー帝国、ロシア帝国、オスマン帝国に、帝国主義列強が勢力を拡張しようとして、「民族」が強く意識されるように特定のエスニシティに属する人々を支援・利用し、それに呼応する各地の政治指導者の動きが力をもったからでした。帝国主義が「民族」問題の形成を操作したのです(板垣 一九九二:三七頁)。

パレスチナ問題の形成

パレスチナは、シナイ半島をはさんでスエズ運河に近接しているため、イギリスにとってインド・ルートを確保する戦略上の重要性をもった地域でした。そしてバルフォア宣言の背景には、ユダヤ系資本に期待するロイド・ジョージ首相の思惑や、イギリスからユダヤ人を追い出したいバルフォア外相の反ユダヤ主義がありました(臼杵 二〇一三:一七九—一八〇頁)。パレスチナではムスリム、キリスト教徒、ユダヤ教徒が共存してきたわけですが、ヨーロッパ・アメリカのシオニズム運動は、他者の人種主義のまなざしからうまれた「ユダヤ人」を、むしろ自分たちの民族アイデンティティにして、パレスチナへの移住を推進しました。そのときユダヤ人は、バルフォア宣言の「非ユダヤ人」という概念を使って、ユダヤ人と非ユダヤ人の二項対立の世界観を持ち込み、パレスチナの共存体制を破壊することになりました。従来のアラブ人とはムスリムだけでなくユダヤ教徒、キリスト教徒も含んだ複合的な存在でしたが、シオニズムの論理では、パレスチナの「アラブ人」にはユダヤ教徒が含まれず、ユダヤ人とアラブ人は異なる民族であると考えられるようになりました。

一九三〇年代になると、ナチス・ドイツの迫害を逃れたユダヤ人が大挙してパレスチナに流入します。ドイツとユダヤ機関が結んだハアヴァラ(移送)協定により、ユダヤ人が農機具などのドイツ製品を購入してパレスチナに輸出し、パレスチナに移住した後に売却された代金を受け取る形で、資産の持ち出しを可能にしたのです。加害者と被害者の連携のなかでシオニズムが推進されました。

しかし、第二次世界大戦が始まると、イギリスはアラブ諸国との協力を深め、ユダヤ人のパレスチナ移住を大きく制限しました。そのためシオニズムの指導者たちは、ユダヤ人国家建設の後ろ盾をアメリカに求めるようになり、アメリカもまたそれに応えていきます。第二次世界大戦が終わると、レバノンとシリアがフランスの委任統治から独立し、イギリスもパレスチナの委任統治から撤退することになりました。それに先立つ一九四七年一一月の国連総会は、アメリカの主導のもとで、パレスチナをユダヤ人国家とアラブ人国家に分割し、イェルサレムを国連の信託統治とする案を決定しました。パレスチナの人々の同意を得ていない一方的な宣告です。しかも分割案は、ユダヤ人がパレスチナにおける人口の三分の一(約六〇万人)、六%の土地所有しかなかったにもかかわらず、彼らに五二%の領土を与えるという内容でした(岡二〇〇八:四五頁)。

分割案が決議されると、アラブ側の武装抵抗が頻発します。ユダヤ人たちは、それに対抗しつつ、なるべく多くの占領地を確保しようとして、武装兵にムスリムの町や村を襲撃させる虐殺事件をひきおこしました。襲撃された住民のみならず、その情報を聞いた近隣住民までが恐怖にかられて一時的に避難したところに、武装兵が一気に占領する方法で、ユダヤ人国家の領域を拡大していきました。一九四八年五月に、イスラエルは建国宣言を行い、近隣のアラブ諸国との第一次中東戦争(アラブ側はパレスチナ戦争、イスラエル側は独立戦争)にも勝利し、分割案よりもさらに大きな領土を獲得するに至ります。アラブ諸国の側は、もともと相互に警戒し合う関係であり、パレスチナを支援する十分な連携がとれませんでした。一方、イスラエルはアメリカとソ連の双方から軍事支援を受けていました。第二次世界大戦後の国際政治がすべて冷戦の論理で動いていたわけではないという代表的事例です。イラクやサウジアラビアの原油をパイプラインで地中海沿岸のレバノンに輸送する新たなエネルギー体制のなかで、近接するパレスチナをおさえておくことは、米ソにとって戦略的にとても重要だったからです（板垣一九九二：三三七―三四〇頁）。

イスラエルの建国によって、七〇万人から八〇万人にのぼる難民（パレスチナ人口の六割以上）が、占領を免れた残りの地域やアラブ諸国に流入し、「ナクバ」（大破局）と呼ばれる事態になりました。そしてイスラエルのベングリオン首相が避難民の帰還を認めないという決定を下したことで、ナクバは七〇年以上の歳月を越えて現代に続いています。ナクバはなぜ起こったのかの原因について、シオニズム運動の政治指導部や軍上層部のレベルで「民族浄化」を行う暗黙の了解があったことを、イスラエルの歴史研究者の一部も認めるようになってきています（臼杵　二〇〇九：八八頁）。しかしイスラエルの一般的なナショナル・ヒストリーのなかでは、そのファクトは否定されたままです。

民族対立が宿命的なものというよりも、列強の介入によって生み出されたものであることを考えると、ナクバの悲劇を防ぐために、どの段階でどのような政治が必要だったでしょうか。列強、国際連合、ユダヤ系住民、アラブ系住民、それぞれ別の選択肢の可能性を考察してみましょう。

犠牲者ナショナリズムと記憶の否定の共振現象

高校生はパレスチナ問題を学ぶと決まって疑問を抱きます。ショアの歴史経験をもつユダヤ人がなぜ民族浄化を進める側になったのかと。まず前提として、シオニズムはナチス・ドイツのショア以前から推進されており、イスラエルのユダヤ人は、ショアの生還者だけではなく、戦後になって周辺諸国から流入したユダヤ人も含めて多様な構成をもっていました。そのため、建国当初のイスラエルでは、ショアの犠牲になったユダヤ人について、命がけの抵抗をしなかった「軟弱者たち」であると批判的なまなざしを向けていました。

しかし一九六〇年代になると、多様な国民を統合するためのナショナリズムのなかで、ショアの記憶が強調されていくようになります。そのきっかけとなったのは、ドイツのユダヤ人移送局長官をつとめ、戦後アルゼンチンに逃亡していたルドルフ・アイヒマンが、一九六〇年にイスラエルの情報機関モサドによってイスラエルに連行され、裁判の結果、絞首刑に処せられたことでした。裁判の過程は世界に報道されて衝撃を与え、ショアに対するユダヤ人の激しい怒りをかきたてました。そして、ショアの悲劇を繰り返さないためにイスラエルという国家が存在する、という論理が強調されるようになります。被害の記憶がナショナリズムと結びついて強調されるとき、自分の立場が絶対的正義になるとともに、自国の歴史が加害者になったファクトが隠蔽されることが、イスラエル社会でも起こっていました。韓国の歴史家、林志弦《イムジヒョン》が

「犠牲者意識ナショナリズム」と呼ぶ現象です。たとえば、一九八〇年代にイスラエルがレバノン侵攻を行って国際的な非難を浴びたとき、ベギン首相は、ショアを見過ごした国際社会にイスラエルを批判する権利はないと断じました。ベギンはＰＬＯ（パレスチナ解放機構）のアラファトをヒトラーになぞらえました（林　二〇二二：二三三頁）。

その一方で、イスラエルの軍事大国化が顕著になるにつれて、ショアのファクト自体を否定する歴史修正主義の考え方が、世界各地で盛んに唱えられるようになっていきます。特に一九七〇年代以降、絶滅収容所のガス室の存在を否定したり、ショアの原因をユダヤ人に転嫁したりするなどの歴史叙述が提示されるようになるのです。その多くは歴史実証の点で大きな誤りがあることが裁判で証明され、主張した者たちが裁判で罪を問われました（武井　二〇二一：七四頁）。しかし反ユダヤ主義感情のなかから生まれるこうした歴史修正主義は、現代でも再生産され続けており、そのことが逆にイスラエルの犠牲者意識ナショナリズムをさらにかきたてる共振現象が起こっています。

犠牲者意識ナショナリズムと相手国のナショナリズムの共振現象として、日本に関わる問題にはどのようなものがあるでしょうか。そして日本の問題とイスラエルのそれとは、どこが共通しており、どこが相違しているでしょうか。

ガザ回廊から見たオスロ合意

ここで視点をパレスチナのなかのガザ回廊にフォーカスさせたいと思います。ガザ回廊とは、エジプトとイスラエル、そして地中海に面する幅約一〇キロ、長さが四〇キロの細長い地域で、現在、約二〇〇万人ものパレスチナ人(アラブ人)が暮らしています。その七〇パーセントがナクバの難民とその子孫であり、ガザの難民キャンプは「世界でもっとも人口過密な場所」と形容されています(岡 二〇一八:二八〇頁)。地中海に面してはいるものの漁業可能区域は沿岸約一一キロのみであり、耕作可能な土地の二五%は立入禁止区域です。

ガザ回廊は、一九六七年の第三次中東戦争でイスラエル軍に電撃的に占領されてしまいます。一九七九年のエジプト・イスラエル平和条約で、イスラエルが占領したシナイ半島はエジプトに返還されましたが、イスラエルのガザ占領は続きました。第二次世界大戦後、パレスチナ人の居住域がどれほど圧迫されてきたかは、**図4**を見てください。そして一九九三年になってアメリカの仲介によりPLOのアラファト議長とイスラエルのラビン首相の間でパレスチナ暫定自治協定(オスロ合意)が結ばれ、相互の存在を承認することになりました。その結果、ガザとヨルダン川西岸の一部について、パレスチナ人の自治政府が成立することになったのです。国際世論は合意の成立を歓迎し、二人にノーベル平和賞が与えられました。

しかし、和平が真の共存に向けての第一歩になるためには、どのような取り決めが必要であ

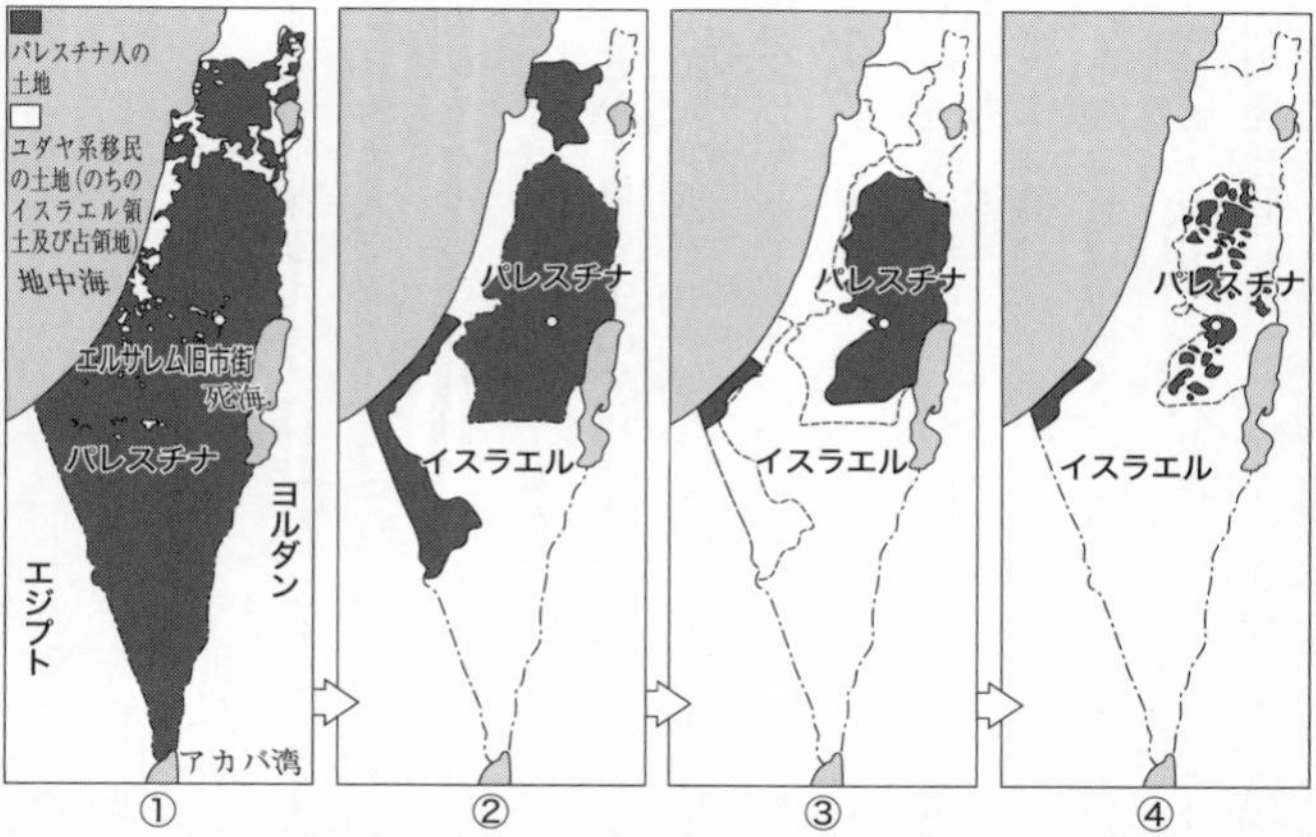

左から①イスラエル建国以前（1946 年），②国連分割案（1947 年），③第一次中東戦争後（1949 ～ 67 年），④オスロ合意後（1993 年～現在）の地図．パレスチナ人の土地（黒）が，時代とともにどんどん小さくなるのがわかる．

図 4　縮小するパレスチナ人の土地

高橋真樹(2017)『ぼくの村は壁で囲まれた ― パレスチナに生きる子どもたち』現代書館より

ったのかを実態に即して考えてみましょう。四〇年以上続くイスラエルの占領政策の下で、ガザにはユダヤ人の入植者が進出するとともに、パレスチナ人独自の産業振興が抑圧され、パレスチナ人はイスラエルの建設業・清掃業・運送業などの低賃金労働者として雇用されるしかありませんでした。一九八七年にガザで占領政策への不満が爆発して投石による抗議行動(第一次インティファーダ)が始まり、各地に広がります。パレスチナ人の反抗に手を焼いたイスラエルは、パレスチナ人をイスラエルから締め出して、その生活を守る責任を自治政府に担わせることを考え、オスロ合意に踏み切ったのでした。パレスチナ人に代わる低賃金労働者は、イスラエル国内にエチオピア系ユダヤ人などを移民として受け入れて確保しました。したがってオスロ合意後のガザ回廊は、フェンスで囲まれて、たった一つの検問所に長時間並ばなければイスラエルとの往来ができない状態になり、その検問所も次第に封鎖されることが多くなりました。パレスチナ人は経済的にさらに困窮することになったのです。つまり、ガザ回廊と外の世界との間に人々や物資が移動できる自由を保障しない和平は、共存への一歩どころか、まるで人種隔離の徹底になったのでした。

とかく世界史の教科書は、中東も含む全世界で戦争と和平が繰り返されてきたことを、単純に戦争が悪で和平が善であるという二元論で叙述しがちです。しかし実際には「和平」という概念のもとで弱者がいっそう窮地に立たされる歴史があるのではないかと、問い直さねばなりません。使用概念の妥当性をチェックする姿勢です。この視点がない「歴史総合」の学びは、国民国家の建設を無条件に肯定し、イスラエルの分離壁建設もそのために必要な手段として好意的に評価するだけになってしまうでしょう。人々のいのちを守るための経済的な活動の範囲がどのように確保されているかなど、自治区域・領土を越える重層的な生きる場が他者と共存しながら実現できていることが、本当の平和には欠かせないということを踏まえて、「和平」の内実を問い直していくべきなのだと思われます。

当初、自治政府はアラファトのファタハが担っていましたが、パレスチナの人々は二〇〇六年の総選挙で、難民の帰還を目標に掲げてオスロ合意に反対し、福祉や教育に熱心に取り組むハマース（イスラーム抵抗運動）を選択しました。欧米諸国はこれに反発してパレスチナへの支援を凍結し、パレスチナ自体もファタハの統治するヨルダン川西岸とハマースが統治するガザに分裂します。二〇〇七年からイスラエルはさらにガザの封鎖を徹底し、「天井のない監獄」と呼ばれる状態になりました。水、電気、燃料、食糧、医薬品、そして建設資材までも満足に入ってこなくなり、さらに二〇〇八年から二〇一四年の六年間に、イスラエルは三次にわたる大規模な軍事侵攻（ガザ戦争）を行い、最も被害が大きい二〇一四年夏の侵攻では死者が二二五一人、負傷者が一万一〇〇〇人以上にのぼりました。死者のうち民間人は一四六二人で、子どもが三分の一以上です。イスラエルは「テロリストの拠点への攻撃」であると説明しましたが、実際には教育施設・医療施設、発電所や給水塔が攻撃されています。一方でハマースのロケット弾攻撃によるイスラエル側の死者は七二人（民間人六人）でした（高橋　二〇一七：九三―九四頁）。

ガザ回廊の語り①――サイード・アブデルワーヘドのメール

ここで視点をさらにフォーカスして、ガザ回廊の三人の普通の男女の語りを見つめてみたいと思います。
一人目は、ガザのアル・アズハル大学の教授であるサイード・アブデルワーヘド(一九五二―)です。彼は、二〇〇八年の暮れから翌年の一月半ばまで約三週間で約一三〇〇人が死亡したガザ戦争の日々を、イスラエルの砲弾が降り注ぐ街のなかから電子メールの配信で世界に報告し続けました。**彼が配信した次のメール文を読むと、イスラエルとガザの軍事力の優劣はどのようになっていると判断できるでしょうか。また、戦時国際法に照らして戦争犯罪にあたるものがあるでしょうか。戦争犯罪があるとすれば、そのことが国際社会で大きく問題になっていないのはなぜでしょうか。**

二〇〇九年元日のガザはどのような姿か? 死がガザを覆い尽くしている。嘆きと悲しみが二〇〇九年という新年の挨拶なのだ。血と大量の死体の匂いがする! 毎分のように悪い知らせが新たに届く。爆発音、爆撃、ミサイルの飛来音、崩壊、すさまじい破壊、イスラエルの無人機、アパッチその他の軍用ヘリ、F16型戦闘機、足元を揺るがす大地。破壊の跡がいたるところに。死体、千切れた四肢、泣き叫ぶ子ども、幼子や夫を探し求める母親。どこに行けばいいのか、どこに隠れればいいのか、誰にも分らない! イスラエルの攻撃のもとでは、安全な避難場所などどこにもありはしない。

市民社会の施設さえ標的にされた。法務省、教育省、文化省が破壊された！　モスクも手ひどくやられた。(……)今日、二〇〇九年一月一日までに攻撃で二〇〇〇人以上が負傷し、四二〇人以上が殺された。この数字には五〇人を上回る子どもたちが含まれている。(アブデルワーヘド　二〇〇九：四六―四七頁、ただし改行を変更)

アブデルワーヘドの日々のメールは、イスラエルとガザの圧倒的な軍事力の不均衡のもとで、戦闘員と非戦闘員の区別がなされない無差別爆撃が続いているファクトを訴えています。ウクライナ侵攻を行うロシア軍と共通していることが幾つもあるにもかかわらず、このことが国際社会のロシアに対する制裁のように問題化されていないのは、①イスラエルが武力行使を「テロリストの拠点への攻撃」であると共感を得やすい論理で正当化しており、②アメリカのブッシュ(子)大統領がこうしたイスラエルを支持し、和平に反対しているハマースのほうを非難したからです。国際連合では、人権理事会がイスラエル非難決議案を賛成多数で可決してガザ戦争を問題視してきましたが、アメリカのイスラエル支持の姿勢が、実効性のある対策を阻んできました。③ハマースの武力反撃が国際世論をガザから引き離しているという意見もありますが、では現在のウクライナ戦争におけるウクライナ国民の武力反撃を是としてハマースを非とするのはなぜなのかを、私たちは問い直す必要があります。

別の表現で問いを作り直すならば、**アメリカ史を学ぶときに、パトリック・ヘンリーの「自由を与えよ、しからずんば死を」という姿勢を民主主義の源流であるかのように意義づけながら、中東で自由のために闘う人々をテロリストや狂信者と批判することにはどのような論理整合性があるのでしょうか**(サイード　二〇〇三：一三八頁)。M・ウェーバーを援用すれば、一つの答えとして、両者の生み出した歴史的な影響・結果が異なるという責任倫理の立場があるかもしれません。しかし、パレスチナ問題の「結果」はまだはっきりと見えているわけではありません。もう一つの答えは、両者の意義は心情倫理として共通するものであり、ハマースのみを否定するのは人種主義ではないのかと批判する立場です。三つめの答えとして、両者の「さもなくば死を与えよ」というスタンス自体を批判する非暴力・非戦論の立場もあるでしょう。

ガザ回廊の語り②――レイチェル・コリーのメール

では、非暴力を貫いてガザを支援している人々のまなざしには、ガザ戦争はどのように映っているのでしょうか。二人目としてとりあげるのは、アメリカ人女性のレイチェル・コリー(一九七九―二〇〇三)です。彼女は大学卒業後の二〇〇三年一月にガザに渡り、国際NGO、国際連帯運動(ISM)の一員として、イスラエルの兵士がガザの人々に危害を加えることを防ぐ「人間の盾」となる活動をしました。そしてパレスチナ人の家庭で寝食をともにしながらガザの現実を見つめ、そこで切実に考えたことを電子メールで世界に発信したのです。彼女はガザに入った翌月に、次のようなメールを書きました。

アメリカの子どもたちは、普通、両親が撃たれることがないし、時々、海を見に行ける。このことは、パレスチナの子どもたちも知っています。でも、パレスチナの子どもたちが一度でも、その海を見て、水が当然のように存在していて夜中に重機の威力で奪われたりすることはないという静かな世界で生きてみたならば…真夜中に突然家の壁が崩れてきて目覚めてしまわないかと恐れることのない夜を過ごしたならば…これまで誰かを失ったことがないという人に出会ったとしたら…人殺しのタワー、戦車、武装した「入植地」、そして巨大な金属壁といったものに囲まれていない世界の現実に身を置いたならば…そのとき…世界唯一の超大国の支援を受けた世界第四位の軍事大国が故郷から自分を消すべく完全支配しようとすることに抵抗しながら生きる――まさに生きのびる――ために、子供時代のすべての歳月を費しているパレスチナの子供たちは、いったいこんな世界を許すことができるでしょうか。

（二〇〇三年二月七日のメール、Rachel Corrie Foundation for Peace & Justice のサイトより翻訳。傍点は引用者によるもの）

コリーは、なぜパレスチナの子供たちは世界を許すことができなくなると考えているのでしょうか。普通の日常が当たり前の社会と、それが決定的に剝奪されている社会に、この世界が正当な理由なく二分されている不条理に気づいたときに、怒り以外の何の感情を抱くのかという問いかけが、そこにはあります。しかも、「これまで誰かを失ったことがない」という当たり前の日常は、自分たちを抑圧している占領者やその支援国の人々が空気のように享受しているのです。ガザで生活するほどに、コリーが痛みとして自覚を強めたのは、人々がなぜ武器を取るのかという切実性でした。そしてそれゆえにこそ、コリーは、非暴力の抵抗をガザで続けようとしました。

二〇〇三年三月一六日、コリーはラファの街でパレスチナ人の住宅を破壊しようとするイスラエル軍のブルドーザーの前に立ちはだかり、静止を求めました。そしてそのままブルドーザーに轢《ひ》かれて二三歳の生涯を終えました(岡　二〇一八：七四頁)。イスラエル軍は、彼女の死の原因は轢死《れきし》ではなく、破砕物による圧死であり、ブルドーザーは爆破物の捜索をしているだけだったという「ファクト」の報告を発表しています。二〇一二年、イスラエルの最高裁判所は、損害賠償を求めた遺族に対し、軍の責任はないという判決を出しました。一方で、国際人権NGOのアムネスティ・インターナショナルは、イスラエルもハマースもこの事件について十分な調査をしていないことを挙げて判決を厳しく批判し、このような場合は国際刑事裁判所に付託されるべきだと主張しました。ちなみにＩＳＭの報告によれば、コリーが轢かれる瞬間は人々に目撃されていて、そのときコリーは運転席から見える瓦礫と土の小山の上におり、人々は米国製ブルドーザーに「停まれ！」と叫び続けていました（ＩＳＭ　二〇〇三）。

コリーの死の翌年（二〇〇四年）の一〇月、同じラファで、一三歳の少女イーマーン・アルハムスが、立入禁止区域の荒れ地を通って通学していたところ足元を銃撃されました。カバンを捨てて走り始めた彼女は足を撃たれて窪地に倒れこみ、駆け付けたイスラエル兵の自動小銃に連射されて死亡しました。彼女には一五発の弾丸が撃ち込まれていました。イスラエル放送は、軍当局筋の見解として、当時は濃霧であり、同時にパレスチナ人居住区の方向からの銃撃があったため、やむをえない自衛の誤射だったという「ファクト」を伝えました。しかし目撃者は、当時、濃霧などはなかったと証言しています（土井　二〇〇八：三一—四頁）。

コリーの死をめぐる「ファクト」を、論理整合性の観点から見ると、どのように解釈できるでしょうか。また、コリーの活動の意義について、皆さんはどのように考えるでしょうか。コリーは、イスラエル兵が簡単に手出しできないアメリカ国民という自分の立場を効果的に使って、パレスチナ人の抵抗に協力しようとしました。自分が、パレスチナを苦しめているアメリカ国民であることについても自覚的でした。しかし、世界史を学ぶ日本の高校生は、コリーの最期のことを知ると、崇高な理念をもっていることは素晴らしいけれども、無理をして死んでしまっては元も子もないというシニシズムを抱くことのほうが多いようです。パレスチナの子どもたちが世界を許せない怒りは、非暴力の抵抗ごときで本当に収まるのかという疑問も湧いてきます。そこで、歴史を見つめるということは、様々な歴史の星座的な関係を見つめることだというベンヤミンの見方(一〇頁参照)を踏まえて、さらにガザの三人目の語りを、星座の線の先の恒星の一つに加えてみます。

ガザ回廊の語り③——ノアム・ハユットのインタビュー

コリーの死の翌年、つまり二〇〇四年六月に、イスラエルのテルアビブで元イスラエル軍将兵のグループが「沈黙を破る(Breaking the Silence)——戦闘兵士がヘブロンを語る」という写真展を開催し、大きな話題になりました。彼らは、ヨルダン川西岸の街ヘブロンで兵役についていたときの経験を、自ら撮影した写真の展示や証言のビデオでイスラエル社会に問いかけたのでした。写真展には大勢の市民が来場し、賛否両論にわかれた大きな反響を巻き起こしました。イスラエルの兵士がパレスチナ人に対して行っている「虐待、略奪、財産の破壊、無実の一般住民の殺戮などは例外的な出来事なのだ」という社会通念は、現実とまったく正反対なのだということを、「沈黙を破る」グループが証言していたからです。彼らは、イスラエル兵のモラルがパレスチナ人を前にしていかに崩壊しているかを直視し、社会に警鐘を鳴らしていきました。

グループのメンバーの一人、ノアム・ハユット（一九八〇―）は、二〇〇〇年にガザに配属され、道路の安全を確保するためにパレスチナ人の果樹園のオリーブの木をすべて切り倒したときの体験について、次のようにインタビューに応えています。

私はその朝の光景を今でも思い出します。軍のブルドーザーがオリーブの木々を全部破壊した後に、八〇歳ほどの老人が五〇代の息子そして孫たちと破壊された畑にやってきました。その前夜にすべてのオリーブの木々が破壊されてしまったことを、この家族はまったく知りませんでした。その老人は破壊されたオリーブ畑を見て、地面にひざまずき、号泣しました。そして泣きながら息子の名前を呼びました。息子は父親をなだめようとしました。現場を目の当たりにした孫たちは、それがどういうことなのかさえ理解できない様子でした。農村出身の私は、それが農民にとってどういうことかよくわかっていました。そのオリーブの木々はその老人の父親か祖父が植えたものなのでしょう。それは単に財産、金を失うことではなく、〝人生〟そのものを失うことだったのです。（……）

私はその老人と家族に、「立ち去れ！」と叫びました。それが、軍隊で学んだ唯一のアラビア語でしたから。それで終わりです。その時、私は何も考えなかったと思います。私がや

ろうとしたことは、何も感じないようにすることでした。（土井　二〇〇八：一一三―一一四頁）

ハユットは、自分たちイスラエル兵の心の動きを振り返って「何も考えない」「何も感じないようにする」と語っています。皆さんの日常生活のなかにも共通する経験があるでしょうか。そのようなとき、目の前の「ファクト」はどのように認識されるでしょうか。

オリーブをすべて切られるということは「人生そのものを失うこと」だと、なぜ言えるのでしょうか。そうだとすると、強制追放によって住むところを奪われるということは、被害者にとってどのような意味をもつのでしょうか。なぜこのことを世界史の授業で問うかというと、住むところを奪われるとか、育ててきた果樹を破壊されるということが、パレスチナ人にとってどのような意味をもっているのかということを具体的に想像できなければ、戦後の中東史を学んでも、以前のハユットと同じ「何も考えなかった」状態のままだと思うからです。

ハユットがパレスチナ人に発した「立ち去れ」と、レイチェル・コリーの行動（イスラエル兵に向って「停まれ」「立ち去れ」と叫ぶような行為）の相違点を見つめながら、改めてレイチェル・コリーの活動にはどのような意義があったと考えられるでしょうか。私はハユットの「立ち去りを読んだときに、コリーの抵抗方法について気づいたことがあります。

れ」が相手の応答を求めない絶対的な命令であるのに対し、コリーがイスラエルのブルドーザーの前に立ちはだかったとき、彼女はブルドーザーを停止させるイスラエル兵の応答――たとえそれがいのちの尊重というよりもアメリカ国民への屈服だったとしても――を期待していたという違いがあります。つまり、後者には対峙する相手との対話可能性への期待が存在するのです。確かに無残にもコリーは殺害されてしまいました。しかし、それでもイスラエル社会には「沈黙を破る」グループのような人々もいます。最終的には対立の和解とは相互の対話可能性を認め合うところにしか成立しないことを考えると、コリーがいのちをかけて実践した非暴力抵抗が、無力であったにすぎないと簡単には断定すべきではないように思われます。

鳥の眼と蟻の眼を組み合わせる

以上のように、パレスチナ問題を国際政治の観点から、つまり「鳥の眼」で見つめながら、オスロ合意という「和平」そのものの問題点を考えてきました。そしてガザ回廊で生きた三人の普通の人々の語りを読み解きながら、つまり「蟻の眼」で見つめながら、パレスチナ問題のファクトの特徴、ナクバの意味、そして非暴力抵抗の意味について考えてきました。「鳥の眼」だけで歴史を見ても、歴史叙述のなかのことばのオーラをとらえられないという問題意識があるからでした。このことは私自身が学生時代から、恩師・西川正雄の国際労働運動史や二〇世紀の歴史学の大きな潮流である社会史を学びながら考えてきたことです(西川　一九八九)。そして近年では、第二次世界大戦のドイツ兵たちの野戦郵便を分析対象にして、人はなぜ戦おうとするのかを根源的に見つめた小野寺拓也の研究に大きな刺激を受けています(小野寺　二〇一二)。

しかし、それぞれの時代の普通の人々の軌跡を「蟻の眼」でとりあげるとき、そのとりあげかたに恣意性が生じるのではないかという問題が新たに生じます。このような場合には部分と全体関係のチェック方法を、どう適用していけばよいのでしょうか。私が心がけているのは、立ち位置とジェンダーの複数化だけでなく、ある立ち位置をさらに相対化した立ち位置をとっているような行為主体性に注目することです。ガザ回廊の歴史主体の語りで言えば、①イスラエルの爆撃にさらされたパレスチナ人男性、②アメリカの立ち位置に異議を唱えてパレスチナに身を置くアメリカ人女性、③兵士としての自分のあり方を問い直しているイスラエルの男性という三人をとりあげることで、語りの主体の数以上に「部分」の多面性を確保して「全体」を展望しようとしました。同時に、この世界に広く流通している「ことばの定義」(たとえば「テロとの戦い」)がしばしば強者の論理であることから、弱者の側の語りをすくい上げることに努めています。

では、三人の語り以外に、あなたが耳を澄ませてみたい立ち位置をもった歴史主体があるか、

理由とともに考えてみてください。その場合、パレスチナ問題をさらに多面的に問うための当事者を探すという方向もあるし、パレスチナ問題の意味をさらに掘り下げるために、比較可能な歴史主体を探すという方向もあるでしょう。前者の方向については、ハマースのロケット弾の犠牲になったイスラエル市民の声などは、これまでの私の歴史叙述にはない立ち位置です。後者の方向については、実際に非暴力の抵抗が大きな効果をあげた事例——ルール占領に抵抗したドイツ市民とかチェコ事件の際にソ連に抵抗したプラハ市民など——をとりあげながら、レイチェル・コリーの行為の意味を轢死という結果だけから裁断せず、多面的に深めることができるのではないかと私は考えています。「蟻の眼」は「鳥の眼」との二刀流で使うからこそ、恣意性を軽減させて、迫力をもった分析力を実現できるのでしょう。

2　ガザ回廊から二一世紀の日本へ

オイル・トライアングルとパレスチナ問題

アジア・太平洋戦争の焼け野原からの戦後復興、そして高度経済成長に至る、日本社会の経済発展は、その要因として日本国民の勤勉性や技術力、農村から離脱した労働力などが挙げられてきました。しかし、日本の経済発展は、冷戦を優位に進めようとするアメリカの国際戦略に適合する形で可能になったものでもありました。つまり、アメリカが軍事部門・航空機・石油化学中心の経済を推進し、日本が造船・自動車・家電などの機械工業を担うように、軍需産業中心と民需産業中心のすみ分けが生まれていたのです。日本は繊維製品や安価な家電製品の技術移転をアジアのNIEs諸国(台湾・香港・韓国など)に行い、日本国内では高付加価値の工業製品に特化して国際競争力を維持することで、東アジア地域の経済を牽引する「雁行《がんこう》的発展」を進めたのでした(大阪大学歴史教育研究会編　二〇一四:二四三―二四四頁)。こうした国際分業は、日本国憲法の平和主義にも裏付けられていたと言えます。

さらに視野を拡大すると、**戦後日本の経済は、欧米と中東諸国の間に「オイル・トライアングル」とも言える関係をつくっていました。図5の関係をことばで説明してみましょう。**つまり中東諸国は、欧米から武器を大量に輸入し、その対価として欧米や日本に原油を輸出することで獲得したマネーを支払っていました。日本は中東諸国から原油を輸入する一方で、欧米からの多額の貿易黒字がありました。欧米諸国は中東諸国からの投資を得て、原油を輸入しつつ兵器を輸出していました。なお、中東諸国が兵器を輸入するマネーの源は、一九八〇年代後半以降になると、経済発展をする東アジア諸国全体に拡大していきます(杉原　二〇二〇:五六〇

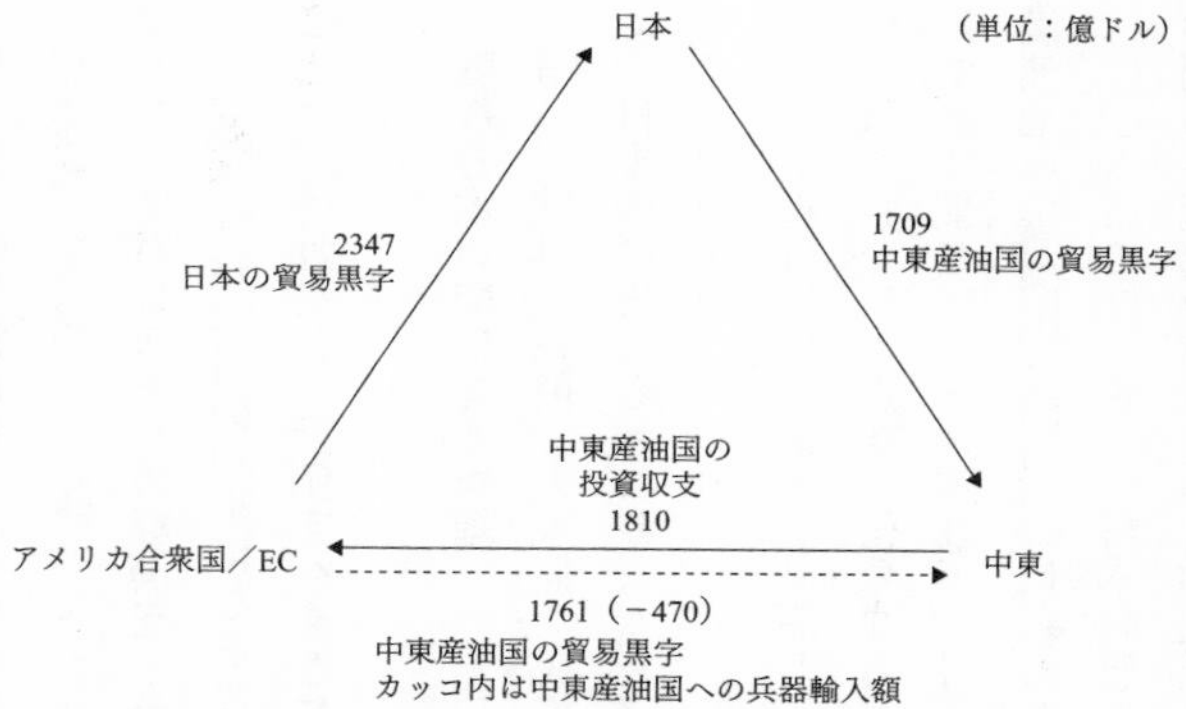

図5　中東産油国をめぐる国際資金循環（1974〜85年）
杉原薫（2020）『世界史のなかの東アジアの奇跡』名古屋大学出版会より

頁）。つまり、日本を含む東アジアの経済発展と中東の紛争が、構造的につながっているのでした。

以上のような国際経済のあり方は、いくつもの問いを生み出すでしょう。**たとえば、二一世紀の現代においては、日米の国際分業や雁行的発展の実態は、どのようなものに変化し、そのことが日本経済にどのような影響を与えているでしょうか。また、日本経済が中東諸国の原油に大きく依存していることは、パレスチナ問題をめぐる日本の外交にどのような影響を与えているでしょうか。**こうした問いは、高度経済成長があくまで世界史的条件に規定されていたことや、パレスチナ問題に対する日本政府の両義的な――イスラエルとパレスチナ国家の双方に配慮しようとする――姿勢を浮かび上がらせるでしょう。外務省HPには、日本政府の「二国家解決の実現」(イスラエルとパレスチナ国家の共存)支持の立場が述べられています。**では、①領域の画定をどうするか、②難民問題をどうするか、③パレスチナの経済をどうするか、④イスラエルとハマースの関係をどう見るのかなど、「解決」が本当の和平になるための条件について、日本政府がどう考えているのかということと、それをどう評価すべきかについて考えてみましょう。**

戦後日本の国民国家再編

第二次世界大戦後の大規模な民族移動は、大日本帝国の崩壊による日本国民の引揚という形で、日本の歴史でも起こりました。敗戦時には、南樺太、満洲国、朝鮮、中国、台湾、南洋諸島などの植民地と占領地には、三五〇万人を超える日本の民間人がいました。日本政府は当初、彼らの引揚は無理であると判断し、現地定着を求めました。特に南樺太、満洲、朝鮮などでは取り残された日本人が、侵攻するソ連軍と、日本人への反撃に出る現地の人々の攻撃にさらされて逃げまどい、一九四五年八月一五日のあともなお、戦病死や集団自決に陥っていきました。満洲地域(満洲国と関東州)に暮らしていた約一五五万人の日本人のうち、犠牲者は約二四万五〇〇〇人にのぼります。日本政府の消極姿勢にもかかわらず、彼らの引揚が本格化するのは、中国の共産化を防ぐために中国社会の不安定要素を解決しようとしたアメリカが、大陸に残留した日本人の速やかな本国送還を決意したからでした（加藤　二〇二〇：二七頁、四九頁、五三頁、二三〇頁）。満洲に残された日本の企業・鉄道などの資産を没収して本国に輸送し、日本兵をシベリアに抑留して強制労働をさせ始めたソ連は、満洲から撤兵していきました。

こうした満洲引揚者の悲劇は、東欧の民族浄化や、パレスチナ人のナクバと、何が共通しており、何が異なっているでしょうか。まず、人々が自分の住むところを失って難民となったことの被害性の度合いが、Ⓐ先住民族であったパレスチナ、Ⓑ現地の人々の土地を結果的に奪った占領者としての満洲移民、Ⓒ先住者と占領者が混在していた東欧のドイツ人では、グラデーションを帯びながら異なっていました。一方で、それぞれが歩んできた軌跡のなかで、勝者の側が概念を粉飾することでファクトが歪められてきたことが共通しています。Ⓐイスラエルが主張したパレスチナへの「帰還」、Ⓑ大日本帝国が掲げた「五族協和」、Ⓒチェコやポーランドが誇った「国民国家成立」など、掲げられた正義の裏にある矛盾が覆い隠されていきました。

そしてもうひとつ共通しているのは、最も弱い立場の人々が保護されず、逃げまどい、犠牲になり、やがて国民の記憶からも忘却されがちになっていくことでした。ことに満洲移民は、現地の人々の土地を奪った加害者であると同時に、日本政府と関東軍が企てた無謀とも言える百万戸移住計画に基づいて満洲に送り込まれた被害者でもありました。しかし、引揚げてきた彼ら／彼女らが直面したのは、戦後の極度に悪化している食糧事情のなかで、新たな帰還者を受け入れる余裕のない故郷の冷たいまなざしでした。都市の産業もまだ復興していないなかで、彼ら／彼女らは、十分な予備調査もなされていない土地に戦後開拓民として移住を試みるしかなく、激しいインフレのなかで、資材も食糧も不足し、水道も電気もない開拓生活を余儀なくされました。せっかく戦後に農地改革が行われていたのに、これと連動して引揚者の生活再建が考えられることは、ありませんでした。政府は、食糧増産のために戦後開拓に参加する国民を百万戸とする目標を掲げます。これは関東軍が掲げた満洲開拓の目標値と同じであり、人々が満洲にまで行く必要がなかったと告白しているようなものでした（森　二〇一三：三頁）。苦労して戦後開拓がなされた地域のいくつかは、成田空港建設が行われた千葉県成田市三里塚、オウム真理教の本部が置かれた山梨県上九一色村、原子燃料サイクル施設のある青森県六ヶ所村、福島第一原子力発電所の事故に巻き込まれた福島県飯舘村・葛尾村・浪江町・双葉町・南相馬市など、現代日本の歴史の舞台になっていきます（加藤　二〇二三：二三六頁）。

また、大日本帝国の崩壊は、日本列島に暮らしている多様なエスニシティの立場を根底から揺るがしました。一九四五年一一月以降、ＧＨＱは日本本土に居住する沖縄人・台湾人・朝鮮人を「非日本人」として、四六年二月以降は日本本土に残留するか、沖縄・台湾・朝鮮半島に送還されるかの選択を迫りました。同時に沖縄人には日本国籍・戸籍が認められ、日本在住の台湾人・朝鮮人からはこれまで認められてきた参政権が剝奪されます（塩出　二〇二二：二〇二頁)。戦前戦中の日本では内地の台湾人・朝鮮人に国政・地方とも参政権があり、朴春琴《パクチュングム》のような朝鮮人の帝国議会の代議士も存在していたのです。さらに台湾人・朝鮮人は、日本国憲法施行の前日の最後の勅令によって外国人登録を義務付けられ、サンフランシスコ講和条約発効にともない日本国籍を剥奪されました。つまり、第二次世界大戦後の日本も、国民の範囲を大きく変更して国民国家の再編を行ったのでした。**この再編によって日本国民のエスニシティに対するとらえ方は、どのような特徴を帯びるようになったでしょうか。そして、あなたはその特徴について、どのような歴史批評をするでしょうか。**

二一世紀日本の故郷喪失

二〇一一年三月一一日午後二時四六分、日本の三陸沖でマグニチュード九・〇の超巨大地震が発生し、大津波が東日本の太平洋岸を中心とする広い地域を襲いました。双葉町と大熊町にまたがって立地する東京電力の福島第一原子力発電所では、外部電源が失われ、その際に動き始めた非常用のディーゼル発電機も大津波で被水し「全交流電源喪失」となった結果、原子炉が冷却されず核燃料が原子炉圧力容器の底に落ちるメルトダウンの事態になりました。三月一二日から三回にわたる大きな爆発がおきますが、すでに一二日の早朝には浪江町酒井地区で平常時の約五〇〇〇倍の毎時一五マイクロシーベルトの空間線量率が観測されていました。また、同日の午後二時四〇分には第一原発から五・六キロの双葉町上羽鳥で毎時四六〇〇マイクロシーベルト(平常時の一五万三〇〇〇倍)を観測していたことが事故から三年を経てわかっています。同じ日に政府が出した避難指示は原発から半径一〇キロ圏内の住民だけであり、すぐに拡大されましたがそれでも二〇キロ圏内だけでした。一七日になると、独自に情報を集めていたアメリカ政府が、日本国内にいる自国民に出国勧告を出しました(木村　二〇一二：二七五頁)。しかし、多くの住民は、十分な情報を得られないまま、避難先を求めて逃げまどいました。国も福島県も、放射性ヨウ素の被曝を防ぐための安定ヨウ素剤を住民に服用させる指示を事故直後にしませんでした。チェルノブイリ事故のときに人々が放射性ヨウ素を体内に取り込んでしまい、小児甲状腺がんの患者がとても増えたことを教訓にして配備していたにもかかわらずです。

三月一四日から一五日にかけて、菅直人首相や枝野幸男官房長官たちは「最悪シナリオ」の想定が必要であると覚悟し、専門家と検討を重ねます。第一原発から第二原発、そして東海原発に連鎖的な崩壊が起こり、「東京までだめ」になり、首都圏の三〇〇〇万人の退避を余儀なくされる可能性が考えられていました(福島原発事故独立検証委員会　二〇一二：八九―九一頁)。同じ一五日に、半径三〇キロ圏内の人々は、屋内退避を指示されました。四月二二日になると「計画的避難区域」が、積算線量について年間二〇ミリシーベルト以上になる地域に適用され、住民は一週間程度の準備の後に、各地に避難することになりました。「計画的避難区域」に指定されなかった地域でも、水道水や農作物から基準を超える放射性物質が検出される日々のなかで、被曝をおそれて自主避難する住民が続出しました。復興庁によれば、福島県を中心に近隣の県をあわせて総計約四七万人の人々が避難したと推計されています。

かつて福島県内の避難指示区域とされた地域から八万人以上が避難しましたが、本書を書いている二〇二三年三月現在、同地域の人口は約一万六千人にすぎません。年間積算線量が二〇ミリシーベルトを下回らないおそれのある地域は、今もなお「帰還困難区域」とされ、二〇二二年六月以降、地域を限定して避難指示が解除されましたが、実際に帰還したのは住民登録の一%、一〇〇名程度にとどまっています（『朝日新聞』二〇二三年三月一一日朝刊一面）。国と東京電力は福島第一原発の廃炉作業には最長四〇年がかかると述べたものの、八八〇トンに及ぶと推定される溶け出た燃料デブリの回収方法がいまだ見通せません。東京電力ホールディングスのHPの「よくあるご質問」に挙げられている放射性物質の半減期の事例は、長いものでもセシウム一三七の三〇年なのですが、原発の放射性廃棄物のなかに含まれるプルトニウム――プルトニウム二三九は半減期が約二万四〇〇〇年で無害化までに五〇万年かかると言われています――のことには言及されていません。二一世紀の日本で起こったことは、原発事故で膨大な住民が故郷を追われ、いまなお多くが帰還できない、日本版のナクバでした。

現在進行形のファクトを問い直す

前節の歴史叙述は、現在からそう遠くない過去のものなのですが、その数値の根拠とか、ことばの使い方を問い直す必要がある箇所がないか、考えてみましょう。たとえば、被災者のその後を取材し続けている吉田千亜の著作『ルポ母子避難』・『その後の福島』を参照しながら、「避難者の総数」の根拠とか「自主避難」ということばの使い方について、考えてみたいと思います(吉田 二〇一六、二〇一八)。

福島原発の事故で「計画的避難区域」に含まれるかいなかを分けた年間積算線量二〇ミリシーベルトという基準は、事故前の公衆の被曝線量限度である年間一ミリシーベルトを二〇倍まで緩めるものでした。そのために、特に子どもを抱えた母親たちが、被曝を避けるために「区域外避難者」になっていきました。母親たちは、親戚を頼った者、借上住宅に入った者など様々ですが、子育てをしながら懸命に働き、暮らしをいとなんでいきます。福島県内に残って働き続けた夫とのあいだで避難についての見解の対立が深刻になって、離婚せざるをえなくなったケースも少なくありません。そして避難が長期化するほどに、生活は苦しいけれども、子どもたちの人間関係ができて、暮らしが避難先に根をおろしつつありました。しかし、「区域外避難者」はたえず社会の人々の批判——「自主避難」をしたのだから、自己責任で生きていくべきだという突き放した見方――にさらされていきます。「帰る場所のあるやつは帰れ」「いいねえ、避難者は東電からお金がもらえて」……こうした厳しい言葉が母親たちに投げつけられてきました。そして避難した多くの子どもたちもまた、学校でクラスメートたちから同じような言葉をぶつけられてきたのです。

東京電力が「自主的避難等対象区域」からの避難者に支払った賠償は、一八歳以下の子どもと妊婦に一人六八万円、大人は一人一二万円を基本として、のちにわずかな追加賠償をしただけで、避難者が避難のために実際に負担した金額を到底補えるものではありませんでした。また、自分が避難者であることは、全国避難者情報システムに自ら登録しなければカウントされないしくみになっており、そのことを知らずに登録手続きを行っていない人々もいました。また、独自の算定方法をとっていた自治体もあり、埼玉県はシステムに登録しているかどうかに関係なく、借上住宅に住んでいる人々だけに限って避難者に算定していました。

二〇一五年六月に福島県は、自主避難者に対する避難先での住宅無償提供を一七年三月で打ち切ることを発表しました。避難先の人間関係を断ち切って被曝に対する不安を抑えて帰還するか、避難先ですべてを自弁して生きていくかが迫られたのです。避難者が少なくなれば、「復興」が進んだように見えます。こうした社会の動きのなかで、復興庁から避難者数の値が発表されているわけです。二〇二三年三月時点での避難者は、「三・一万人」と算定されています。

私たちは「歴史総合」を学びながら、ファクトをめぐって事実立脚性・論理整合性があるか、使用概念の妥当性があるかなど、そのチェック方法を考えてきました。福島原発事故という現在進行形の歴史なのに、もうすでに幾つものファクトの土台が揺らいでいます。ファクトを理解し、それをめぐって思索することは何と難しいことでしょうか。そして、現在進行形のウクライナ戦争によるエネルギー価格の高騰に苦しむ日々のなかで、日本国民の世論調査結果は、急速に原発を容認する方向に変化しています。人々のなかでは、フクシマの危機を乗り越えつつあるという復興の記憶が鮮明化し、東日本が壊滅することを覚悟した記憶が忘却されつつあります。

さらに言えば、自分たちの身のまわりに生きる多様な立場の人々のことを具体的に理解して手を携えようとする姿勢——受容力や協働力——に、日本社会はあまりに乏しいと言えます。避難者を強制的に退避させられた可哀そうな人々と、自己責任のわがままな人々とに類型化してしまう人間観は、その最たるものと言えます。国民国家のなかに生きていることで、三・一一の記憶を「復興する福島を日本国民みんなが応援している」というフレームだけで解釈し、その枠のなかにおさまらない人々を「非国民」であるかのようにとらえてしまうのです。しかし実際には、自分が何者なのか——どのエスニシティに属するのか——ということが、主体的に意思するものであるとともに所与の運命と認識されるものでもあるように、私たちが自己決定するときの主体性も、自主的な選択とそうせざるをえない選択(強制)の二つがグラデーションをもって複雑に絡み合ったものとして存在しています。まして「自主避難」している人々は、強いられた選択を自らの意志で引き受けて避難しており、その理由は人の数だけ多様であるはずです。人間が生きるということの困難さ、複雑さに対する理解をもたないと、必死に生き続けている他者と自分をむすぶ「回路」が欠落したまま、傍観者として非難のことばを投げかけてしまうことになります。

だからこそ、私たちは世界史について考え、ファクトを実証・解釈・批評・叙述・対話し、つまり記憶を忘却するのでなく、それを立体化させることで語り継ぎ、人間に対する見方を鍛えていく必要があります。その語り継ぎには、痛みの感覚がともないます。それは、パレスチナの人々の苦難と日本の経済発展が構造的につながっていることの痛みとか、福島の避難民の苦難を引き起こした原発が日本社会の豊かな生活を支えるものであったことの痛みといった、自分が人々とつながっていることの自覚であり、だからこそ自分ごととして何かをしたいという意志がうまれます。そうすることで私たちは、戦争や環境破壊、差別・貧困といった、いのちの危機を乗り越えて未来を目指すための創造的な努力(歴史創造)を、自分の日々の暮らしのなかで実践できるのではないでしょうか。

それでは、最後の問いを皆さんに投げかけます。

あなたは「近代化」「国際秩序の変化や大衆化」「グローバル化」の三つの局面を貫いているものとしてどのような歴史を重視しますか。そしてその歴史は、あなたにとってどのような意味をもっていますか。

第5講の参考文献

アブデルワーヘド、サイード(二〇〇九)『ガザ通信』岡真理・TUP訳、青土社
板垣雄三(一九九二)『歴史の現在と地域学――現代中東への視角』岩波書店
林志弦(二〇二二)『犠牲者意識ナショナリズム――国境を超える「記憶」の戦争』澤田克己訳、東洋経済新報社
臼杵陽(二〇〇九)『イスラエル』岩波書店《新書》
臼杵陽(二〇一三)『世界史の中のパレスチナ問題』講談社《現代新書》
大阪大学歴史教育研究会編(二〇一四)『市民のための世界史』大阪大学出版会
岡真理(二〇〇八)『アラブ、祈りとしての文学』みすず書房

第5講　グローバル化と私たち

岡真理（二〇一八）『ガザに地下鉄が走る日』みすず書房
小野寺拓也（二〇一二）『野戦郵便から読み解く「ふつうのドイツ兵」――第二次世界大戦末期におけるイデオロギーと「主体性」』山川出版社
加藤聖文（二〇二〇）『海外引揚の研究――忘却された「大日本帝国」』岩波書店
加藤聖文（二〇二三）『満蒙開拓団――国策の虜囚』岩波書店《現代文庫》
木村英昭（二〇一二）『検証福島原発事故 官邸の一〇〇時間』岩波書店
サイード、エドワード・W（二〇〇三）『イスラム報道 増補版』浅井信雄・佐藤成文・岡真理訳、みすず書房
塩出浩之（二〇二二）「帝国日本と移民」、永原陽子・吉澤誠一郎ほか編『岩波講座世界歴史20 二つの大戦と帝国主義Ⅰ 二〇世紀前半』所収、岩波書店
篠原琢（二〇二三）「中央ヨーロッパが経験した二つの世界戦争」、永原陽子・吉澤誠一郎ほか編『岩波講座世界歴史21 二つの世界大戦と帝国主義Ⅱ 二〇世紀前半』所収、岩波書店
杉原薫（二〇二〇）『世界史のなかの東アジアの奇跡』名古屋大学出版会
高橋真樹（二〇一七）『ぼくの村は壁で囲まれた――パレスチナに生きる子どもたち』現代書館
武井彩佳（二〇二一）『歴史修正主義――ヒトラー賛美、ホロコースト否定論から法規制まで』中央公論新社《新書》
竹中千春（二〇一八）『ガンディー――平和を紡ぐ人』岩波書店《新書》
土井敏邦（二〇〇八）『沈黙を破る――元イスラエル軍将兵が語る〝占領〟』岩波書店

西川正雄（一九八九）『第一次世界大戦と社会主義者たち』岩波書店
野村真理（二〇二三）「西ウクライナの古都リヴィウが見てきたこと」『世界』二〇二三年三月号所収、岩波書店
福島原発事故独立検証委員会（二〇一二）『調査・検証報告書』ディスカヴァー・トゥエンティワン
森武麿編（二〇一三）『戦後開拓　長野県下伊那郡増野原――オーラルヒストリーからのアプローチ』神奈川大学大学院歴史民俗資料学研究科
吉岡潤（二〇二二）「ヨーロッパの歴史認識をめぐる対立と相互理解」、小川幸司ほか編『岩波講座世界歴史01　世界史とは何か』所収、岩波書店
吉田千亜（二〇一六）『ルポ母子避難――消される原発事故被害者』岩波書店〈新書〉
吉田千亜（二〇一八）『その後の福島――原発事故後を生きる人々』人文書院
歴史学研究会編（二〇〇六）『世界史史料10　二〇世紀の世界Ⅰ――ふたつの世界大戦』岩波書店
ＩＳＭ（二〇〇三）「レイチェル・コリー殺害に関する声明」https://web.archive.org/web/20040101033316/http://www.onweb.to/palestine/siryo/rachelism.html（二〇二三・三・一二最終閲覧）
https://rachelcorriefoundation.org/rachel/emails（Rachel Corrie Foundation for Peace & Justice のサイト、二〇二三・三・一二最終閲覧）

まとめ

世界史の学び方一〇のテーゼ

(1) 世界史は、ある問題関心を持って過去に問いかけ、「今、ここで」どう生きるかを考えるところから始まる。このような「世界と向き合う世界史」は誰もが行っている。

(2) 過去へ問いかけた歴史像が結びつくことで、「世界のつながりを考える世界史」が生まれる。この世界史には、①歴史類型論タイプ、②歴史構造論タイプ、③歴史連関分析タイプがある。

(3) 世界史をめぐる歴史実践は、六つの行為の複合体である。それは、①歴史実証、②歴史解釈、③歴史批評、④歴史叙述、⑤歴史対話、⑥歴史創造である。歴史実証・解釈・批評からなる歴史叙述は、立場性に左右されるので唯一のものに収斂することはありえない。ゆえに歴史対話が必要となる。

(4)歴史実証・解釈・批評は、事実(ファクト)に基づいているかのチェックをたえず必要とする。たとえば、①要素分割によるチェック、②事実立脚性と論理整合性によるチェック、③部分と全体関係のチェック、④過去と現在の文脈比較のチェック、⑤使用概念の妥当性のチェックなどがある。

(5)歴史対話を行うためには、参加者が安心できる条件が必要である。その条件は、①対話の対象にタブーをつくらないこと、②参加者の対等性と「いのちへのリスペクト」が確保されること、③参加者が「自分を相対化する意志」を大切にすることである。

(6)歴史対話を活性化させるためには、問いの工夫がなされるとよい。その工夫には、①課題発見作用の対話(なぜだろう)、②主体化作用の対話(自分とどう関係しているか)、③時空間拡大作用の対話(何と比較できるか・つながっているか)、④根拠の問い直し作用の対話(その根拠は大丈夫か)、⑤仮説の構築・検証作用の対話(自分自身で論理を組み立てるとどうなるか)などがある。

(7)歴史実証・解釈・批評の対象のスケールは、「鳥の眼」で見たときと、「蟻の眼」で見たときのように、伸び縮みさせたり、組み合わせたりすることができる。「蟻の眼」で見ることにより、歴史のなかの人々の行為主体性を探究できる。ただし対象の選択が恣意的にならないように、複数の主体に着目したり、立場性を相対化する主体に着目したりするなどの工夫が必要である。

(8) 歴史叙述をするときには、対象のとり方や用いる論理を柔軟に考えてみると新たな可能性がうまれる。たとえば、①星座(歴史)を結ぶ星(対象)の選び方を星座が最も鮮明になるように試行錯誤する、②すべての論理を統一せずに矛盾する論理の綱渡り的な並存をさせてみる、③対象とする過去の人々の問いのオーラ(質感)と自分が向き合ってみるなどの工夫がありうる。

(9) 人間の属性は可変的であり、複合的である。それを画一的に分類することが世界史上では繰り返されてきた。歴史叙述・歴史対話の際に、人間存在の複雑さや多様さを緻密に見つめることで、社会の差別や対立を乗り越えていく視点を探究できる。

(10) 世界史の教科書は、一つの「叙述された歴史」(a history)にすぎない。世界史を学ぶということは、過去から現在までの様々な「叙述された歴史」(histories)を検討しながら、「私が叙述した歴史」(my history)を相対化して練り上げていくいとなみである。

おわりに

二〇二一年一二月一五日、私は校長としての特別授業を長野県蘇南高校の全校生徒に行いました。題して「ふるさと探究学・特別編」。蘇南高校では、「ふるさとの人々の未来の幸せのために学び、自分はどう生きるかを考えよう」というコンセプトで三年間の教育を体系的に行っています。ならば、その「ふるさと」を失ってしまった人々が、今、どのような思いで、どう生きているかを知ってほしいと、私は生徒たちに語りかけました。

ゲスト講師としてお迎えしたのは、福島県在住の木村紀夫さん（一九六五―）です。福島原発が立地する大熊町に暮らしていた木村さんは、東日本大震災の津波で妻・次女・父を失い、原発事故のために長女を連れて長野県白馬村に避難しました。そして、いまだ見つかっていない次女・汐凪《ゆうな》さんを探してふるさとの大熊町に通い続けました。最短のコースを通っても片道四〇〇キロを超える距離を走り、一時帰宅が許可される一回五時間の制限のなかで懸命に汐凪さんを探し続けたのです。海岸に積み重なった漂流物をスコップでかき分け、津波で破壊された防潮堤の亀裂のなかやテトラポット一つ一つのまわりのゴミを除き、砂のなかを探りました。

汐凪さんの遺骨の一部が発見されたのは、ようやく二〇一六年のこと。自宅のすぐ近くからでした。木村さんは新たな自責の念に苦しむようになります。自分たちが原発事故で避難しなければ、汐凪さんを助けることができたのではないかと。

「ふるさと探究学・特別編」では、木村さんがオンラインで蘇南高校の生徒たちに大熊町の今を実況中継してくれました。汐凪さんが学んでいた小学校、お父さんと汐凪さんが津波にさらわれたであろう海岸、原発から三キロ圏内にある自宅跡をめぐり、二時間にわたって三・一一の歴史と今がどのようにつながっているかを高校生に語りかけてくれました。自宅跡の周辺はすべて「帰宅困難区域」とされ、除染作業で出た土砂や廃棄物を二〇四五年まで保管する中間貯蔵施設が建設されています。木村さんは地区のなかでただ一人土地の提供を拒み、「家族とつながれる大切な場所」として広い菜の花畑をつくり、お地蔵さんをおいて整備してきました。家族との記憶を守るためにです。

震災後の木村さんは、電気をなるべく使わないライフスタイルに徹してきました。最初は自分たちがこうなってしまったのは、すべて福島原発のせいだと考えていたのですが、次第に、では電気を使って安楽な生活を目指してきた自分たちの責任はどうなのかと考えるようになったからです。最後に木村さんは、生徒たちに問いかけました。

一〇〇〇年後の「いのち」を守るために、今の私たちは何をすべきなのでしょうか。

本当に電気がないと生活できませんか？

――生徒たちはこの問いをめぐって互いに対話をし、考えたことを文章にまとめました。電気を使うか使わないかだけを討論したのではありません。豊かであること自体が問題をはらんでいる現実に、どう向き合っていくのかを考えようとしていました。

最後に生徒を代表して一人の女子がカメラの前に立ちました。福島県から区域外避難をしてきており、そのことをずっと友人たちに言えなかった生徒でした。彼女は背筋をのばして木村さんに応えました。――私は十年前のことを頭のなかから消し去りたいと思って生きてきました。私にとって、原発は原爆のようなものです。でも私は卒業したらふるさとに戻って、自分の夢を追いかけようと思っています。いつか木村さんとお会いしたいです、と。

＊　＊　＊

世界史は、ただの外国史でもなければ、教科書を暗記する学びでもありません。世界の歴史を参照しながら、「今、ここで」どう生きるかを考える実践です。そのとき私たちは、世界の歴史を見取り図のように把握する「鳥の眼」と、そのなかで生きるひとりひとりの行為主体性をとらえる「蟻の眼」の両方をもち、「そこで実際どのような歴史があったのか」ということを描き出すことに挑戦することになります。その挑戦は、一見何の関係もないような歴史事象のあいだに星座のようなつながりを見出し、記憶が更地にされていくことに抗ったり、自分自身の考え方を見つめ直したりすることにつながります。

なぜ「鳥の眼」だけでなく「蟻の眼」も必要なのかというと、過去の世界のなかで生きた人々の具体的な努力や苦悩の軌跡から、現在の私たちに投げかけられた「問いかけ」のようなものを聞くことができるからです。過去から未来に投げかけられた重い問いかけは、はるか遠くにしか見えないものでもあり、私たちは過去の苦しみや悲しみを受け継ぎ解決する者(ベンヤミンのことばでは「メシア」)には到底なれそうもありません。しかし、それでも、そこに「問いかけ」がある限り、ひとは過去の苦しみや悲しみと、今の自分がどのように交錯するかを考えることができます。それは過去の「いのち」から、現代の「いのち」に投げかけられた期待に応えることなのかもしれません。私がベンヤミンの『歴史の概念について』のなかで最も心に刻んでいるのは、このテーゼです。

過去の人びとを包んでいた空気のそよぎが、わたしたち自身にそっと触れているのではないだろうか。わたしたちが耳を傾けるさまざまな声のうちに、いまや黙して語らない人びとの声がこだましているのではないだろうか。(……)もしそうだとするなら、かつて存在した

> 世代とわたしたちの世代とのあいだには、秘められた出会いの約束が取り交わされていることになる。そうであるならわたしたちはこの地上において、ずっと待ち望まれてきたことになる。
>
> そうだとするなら、以前の世代がいずれもそうであったのと同じく、わたしたちにはかすかなメシア的な力が付与されていることになる。過去はこの力が発揮されることを要求しているのだ。この要求を無下にあしらうことはできない。（ヴァルター・ベンヤミン、鹿島徹訳・評注『歴史の概念について』未來社、二〇一五：四六頁）

ベンヤミンは、現代に生きる者は過去からの期待を「無下にあしらうべきではない」と言っているのではありません。「無下にあしらうことができない」のです。私なりに言い換えれば、「いのち」どうしには、そのような時間と空間を超えた対話の本能があることを、ベンヤミンは見つめているのでした。だから過去からの「問いかけ」のオーラがどんなに遠くに見えるものであっても、私と生徒たちは、「空気のそよぎ」や「黙して語らない人びとの声」までも含めて歴史を見つめ続けて、複数の「問いかけ」のあいだに歴史認識の星座をむすんでいくでしょう。まるで「出会いの約束」を果たそうとしているかのように…です。

たとえば、イスラエルの兵士がガザの老人――オリーブの木をすべて伐採されて「人生そのもの）を失ったかのように号泣する老人――を見て、あとからそのときの自分が「何も考えなかった」ことを後悔した歴史がありました。その歴史に目をこらしたあとで、福島からの区域外避難者の母親が、人前で「帰る場所のあるやつは帰れ」と怒鳴られたときの思いを想像してみます。その言葉は、いのちをかけてわが子を守ってきた母親の「人生そのもの」を否定するものだったのではないかと、気づくでしょう。

その悲しみを心に刻んだうえで、ではパレスチナの和平はどうあるべきなのか、福島の復興や原子力発電はどうあるべきなのか、自分の考えを練り上げていくような対話が始まっていけばいいと、私は考えています。問いかけとの「出会い」を大切にするためには、自分が独善的な偽メシアにならないよう、自分の歴史実践をたえず問い直す「対話」が必要だからです。

＊　＊　＊

私の世界史の授業は、ノートや穴埋めプリントを用意しません。教科書と生徒のタブレットパソコンに配信する資料プリントが主な教材です。まず歴史に関係した音楽をBGMで流しながら生徒に教科書を黙読してもらい、私が教科書をテキスト・クリティークしていきます。教科書の歴史叙述の奥には、どのような実証・解釈・批評の蓄積と課題があるのかを私が講義し、生徒と一緒に教科書に「注釈とコメント」を朱字で書き込んでいきます。そしてそこから今日の授業のなかで一緒に考えたいテーマを取り出します。テーマは実証にかかわるものもあれば、解釈や批評にかかわるものもあります。生徒は考察した歴史叙述をグループで対話し、その成果を教室全体で共有していきます。対話の成果は、テキスト・クリティークをさらに深め、さらには自分自身の世界観を揺さぶるようなものになるよう心がけています。

このような授業スタイルをとっているのは、なるべく歴史対話の時間を確保するためという技術的な理由もありますが、何より、自分たちの探究する思考空間を「広げていく」というイメージをもって授業をしたいからです。教科書の行間に隠れた無限の思考空間を旅するという感覚です。私が歴史実践の方法論的自覚と並んで、ベンヤミンの直観的・神学的な歴史哲学を重視してきたのは、その文章が私たちの思考空間を「広げていく」ように思うからです。私は目の前の生徒のいわゆる「偏差値」に関係なく、すべての生徒を、私の考えうる限りの無限の思考空間にいざないたいと考えてきました。そしてしばしば生徒たちのほうが、私を未知の思考空間にいざなってくれました。卒業したら福島に戻りたいと大熊町の木村さんに語った生徒のまなざしに、ふるさととは何なのかを改めて考えさせられたときのように。

もうひとつ、思考空間を広げるような世界史の学び方について、詩情豊かに教えてくれる物語があります。アントワーヌ・ド・サン＝テグジュペリ（Antoine de Saint-Exupéry　一九〇〇－四四）の代表作『星の王子さま』（一九四三、原題『小さな王子』）です。パイロットと作家の二つの顔をもっていたサン＝テグジュペリは、ものわかりのよい大人になることを拒絶したような人でした。第二次世界大戦ではナチス・ドイツと戦うフランス軍の偵察隊に従軍し、フランスの降伏によってアメリカに亡命しました。この亡命時に遺書のような『星の王子さま』を書き上げた彼は、再び北アフリカのレジスタンスの戦線に戻り、偵察機に乗り込みます。操縦の失敗も多く、また無茶な飛行を企てがちなサン＝テグジュペリに対し、周囲は離陸をやめさせようとしました。しかし彼は一九四四年七月にコルシカ島を飛び立ち、そのまま行方不明になりました。一九九八年に彼の名の刻まれたブレスレットが地中海のマルセイユ沖で発見され、彼の搭乗機の残骸が引き上げられたのは、ようやく二〇〇三年になってからのことでした。

『星の王子さま』では、サハラ砂漠に不時着した「私」と、そこで出会った不思議な王子との日々が描かれます。王子は、故郷の小惑星を飛び出してあちこちの星を訪ね、そのたびに「大人って、とっても変だ」と大人になることを拒否しながら旅を続け、ついに地球の砂漠にたどり着いたのでした。王子が大切にしている子どものまなざしとは、物事が「見えない」からこそそれを「見つめよう」とする姿勢でした。王子は「私」に「羊の絵を描いてよ」と要求し、「私」がさまざまな羊を描いてあげても満足せず、最後に羊がなかに入っているという「箱の絵」を示されたときにとても喜び、羊はたくさん草を食べるのか、サイズはどのくらいか、今何をしているのか…王子は「見つめよう」として「私」との対話を展開させていくのでした。

王子が大切にしているのは、思考空間を「広げていく」生き方であるように、私には思われます。なぜそうした生き方が子どもには得意なのでしょうか。子どもには想像力がある…というのが一般的な答えかもしれませんが、教育の仕事を長年つとめてきた経験から言うと、私は「子どもは人生の離陸をしようとしているので無限に広がる思考空間への感受性が高い」からではないだろうかと考えています。とくに高校生は、皆、飛行場のパイロットなのです。

物語の最後に、王子は毒蛇に自らを噛ませて星に帰ろうとします。その別れを告げるとき、王子は「私」にこう語りかけます。

夜になったら星を眺めてね。ぼくの星はとても小さいから、どこにあるか教えてあげるわけにはいかない。だけどそのほうがいい。ぼくの星は……星のうちのどれか一つだということだから。それできみは星全部を眺めるのが好きになる。星がみんな友だちになるよ。(サン゠テグジュペリ、倉橋由美子訳『新訳星の王子さま』宝島社、二〇〇五:一三六頁)

これまでの日本の歴史教育は、夜空の無数の星をありとあらゆる星座で結んで、「さあ覚えてごらん」と生徒に暗記させてきました。でも私が目指したい世界史(当然「歴史総合」も含みます)は、網羅的ではなく、いくつかの歴史を焦点化する学びです。歴史を星にたとえれば、夜空の無数の星のなかの特定の星に目をこらしてみて、それが見れば見るほど、見えにくいということを実感する学びになるのです。そんな学習に意味があるのかと言われるかもしれません。私は大いに意味があると思うのです。

見えにくいからこそ、その歴史にじっと目をこらしているうちに、自分が知らない他の歴史についても考えることが好きになってくる。世界史の学びとはそのようなものではないでしょうか。一つの星が笑っていれば他の星も笑っているように、一つの星が泣いていれば他の星も泣いているように、つまり「星がみんな友だちになる」ように思えてくるのです。

それは思考空間を広げ、見えないものを見つめようとする、歴史実践の主体が、星からの「問いかけ」に応えようとするからです。すべての星が笑ったり泣いたりするというイメージは、ベンヤミンのことばで言いかえれば、「星座的布置がモナドとして結晶する」ということになるのでしょう。私の表現で言いかえれば、「世界と向き合う世界史」が結びあわさり自分なりの「世界のつながりを考える世界史」が見えてくるということに……やっぱりサン＝テグジュペリのイメージのほうがいいですね。

「大切なものは目には見えないんだよ」と王子は語ります。「そのときそこで何があったのか」も、「あなたはいったい何を考えているのか」も、肝心なことはとても見えにくいのです。私たちは学べば学ぶほど、わからないことが増えていきます。「わかる」とは、「わからない」

ことが増えていくことなのです。わかろうとしなければ、わからないことには気づきません。

しかし、現代社会には膨大な情報があふれ、素早い情報処理能力を重視する「知ったかぶり」の学びが流行しています。

それに対して、『星の王子さま』に登場するキツネは、何かを大切だと私たちが思うのは、それにかけた「時間」があるからだと、王子に語りかけます。だから私たちは、ゆっくりと、膨大な歴史のファクトの吟味をしながら、見えにくい星を見つめ、渾身のことばを記した花びらを、見えにくい谷底に落としていくしかありません。そして星のまたたきが微笑みに見えるか、悲しみに見えるかを――あるいは谷底からの風が微《かす》かな落下の反響を運んでくれるかどうかを――じっと時間をかけて待つのです。

待つことは、ほほえみながら、手を差し出し続けることだからです。世界史を学ぶことで、その相手へのリスペクトをもつ小さな勇気がうまれるはずだと、私は予感しています。

小川幸司

1966年生まれ．長野県伊那弥生ヶ丘高等学校教員．世界史教育．

『岩波講座　世界歴史』(岩波書店，2021-)編集委員．

『世界歴史01　世界史とは何か』(岩波書店)責任編集．著書に『世界史との対話――70時間の歴史批評』全3巻(地歴社)．

世界史とは何か――「歴史実践」のために
シリーズ 歴史総合を学ぶ③　　岩波新書(新赤版)1919

2023年6月20日　第1刷発行

著　者　小川幸司《おがわこうじ》

発行者　坂本政謙

発行所　株式会社 岩波書店
〒101-8002 東京都千代田区一ツ橋2-5-5
案内 03-5210-4000　営業部 03-5210-4111
https://www.iwanami.co.jp/

新書編集部 03-5210-4054
https://www.iwanami.co.jp/sin/

印刷・精興社　カバー・半七印刷　製本・中永製本

ISBN 978-4-00-431919-1　　Printed in Japan

岩波新書新赤版一〇〇〇点に際して

ひとつの時代が終わったと言われて久しい。だが、その先にいかなる時代を展望するのか、私たちはその輪郭すら描きえていない。二〇世紀から持ち越した課題の多くは、未だ解決の緒を見つけることのできないままであり、二一世紀が新たに招きよせた問題も少なくない。グローバル資本主義の浸透、憎悪の連鎖、暴力の応酬――世界は混沌として深い不安の只中にある。

現代社会においては変化が常態となり、速さと新しさに絶対的な価値が与えられた。消費社会の深化と情報技術の革命は、種々の境界を無くし、人々の生活やコミュニケーションの様式を根底から変容させてきた。ライフスタイルは多様化し、一面では個人の生き方をそれぞれが選びとる時代が始まっている。同時に、新たな格差が生まれ、様々な次元での亀裂や分断が深まっている。社会や歴史に対する意識が揺らぎ、普遍的な理念に対する根本的な懐疑や、現実を変えることへの無力感がひそかに根を張りつつある。そして生きることに誰もが困難を覚える時代が到来している。

しかし、日常生活のそれぞれの場で、自由と民主主義を獲得し実践することを通じて、私たち自身がそうした閉塞を乗り超え、希望の時代の幕開けを告げてゆくことは不可能ではあるまい。そのために、いま求められていること――それは、個と個の間で開かれた対話を積み重ねながら、人間らしく生きることの条件について一人ひとりが粘り強く思考することではないか。その営みの糧となるものが、教養に外ならないと私たちは考える。歴史とは何か、よく生きるとはいかなることか、世界そして人間はどこへ向かうべきなのか――こうした根源的な問いとの格闘が、文化と知の厚みを作り出し、個人と社会を支える基盤としての教養となった。まさにそのような教養への道案内こそ、岩波新書が創刊以来、追求してきたことである。

岩波新書は、日中戦争下の一九三八年一一月に赤版として創刊された。創刊の辞は、道義の精神に則らない日本の行動を憂慮し、批判的精神と良心的行動の欠如を戒めつつ、現代人の現代的教養を刊行の目的とする、と謳っている。以後、青版、黄版、新赤版と装いを改めながら、合計二五〇〇点余りを世に問うてきた。そして、いままた新赤版が一〇〇〇点を迎えたのを機に、人間の理性と良心への信頼を再確認し、それに裏打ちされた文化を培っていく決意を込めて、新しい装丁のもとに再出発したいと思う。一冊一冊から吹き出す新風が一人でも多くの読者の許に届くこと、そして希望ある時代への想像力を豊かにかき立てることを切に願う。

（二〇〇六年四月）